Honoré de Balzac

HISTOIRE DES TREIZE

Ferragus,
chef des Dévorants

*Édition présentée,
établie et annotée
par Roger Borderie*

Gallimard

INTRODUCTION

> Le hasard est le plus grand romancier du monde : pour être fécond, il n'y a qu'à l'étudier.
>
> *Honoré de Balzac*
> *Avant-propos de*
> La Comédie humaine, *1842.*

Balzac n'est pas un écrivain comme les autres, tout le distingue de ses pairs. D'abord son indifférence à l'égard de quelque culte qu'on pourrait vouer à l'art d'écrire. Le roman n'est pour lui qu'un moyen d'obtenir du monde la reconnaissance de sa personne et des idées qu'il s'est faites en observant le genre humain. («La Société française allait être l'historien, je ne devais être que le secrétaire.») Ensuite il y a la prodigieuse rapidité de composition de son œuvre qui n'a jamais cessé de stupéfier ses contemporains et ses successeurs. Enfin, il y a le caractère extraordinaire de son ambition : «Ce n'était pas une petite tâche que de peindre les deux ou trois mille figures saillantes d'une époque, car

telle est, en définitive, la somme des types que pré-
sente chaque génération et que La Comédie humaine
comportera. »

   Balzac précise que l'idée de La Comédie humaine
lui est venue d'une comparaison entre l'Humanité
et l'Animalité. Ce qu'il veut faire c'est adapter les
méthodes et les classifications illustrées par les
génies de l'histoire naturelle — Buffon, Cuvier,
Geoffroy Saint-Hilaire — non sans les confronter
aux conclusions des philosophes et des mystiques
— Leibniz, Swedenborg, Saint-Martin — pour mon-
*trer l'*unité de composition *de l'univers.* « *Le Créa-*
teur ne s'est servi que d'un seul et même patron
pour tous les êtres organisés. L'animal est un prin-
cipe qui prend sa forme extérieure, ou, pour parler
plus exactement, les différences de sa forme, dans
les milieux où il est appelé à se développer Les
Espèces Zoologiques résultent de ces différences. »

   Pénétré de l'idée que « *la Société ressemblait*
à la Nature », *Balzac va peu à peu entreprendre*
la construction d'un tableau à entrées multiples,
d'une complexité d'autant plus grande qu'il pourra
accueillir tous les types (le Curé, l'Artiste, le Bour-
geois, le Médecin, le Paysan, le Provincial, la Gri-
sette...) ; tous les individus (car il faut bien plusieurs
curés ou plusieurs médecins pour que le type ne
soit pas seulement une caricature) ; toutes les pas-
sions et tous les sentiments (l'Avarice, l'Amour, le
Sacrifice, l'Arrivisme...) ; tous les lieux (Paris, la
Province, l'Étranger...) et toutes les époques d'un

cycle historique (*l'Ancien Régime, la Révolution, l'Empire, la Restauration...*). *Il revient à plusieurs reprises sur son image d'un* tableau de la Société *dont assez de cases sont remplies en 1842 pour qu'il puisse livrer au public un plan général, étant entendu que les autres cases encore vides se rempliront au fur et à mesure qu'il poursuivra son «effroyable labeur». On sait qu'à sa mort, les cases vides seront plus nombreuses encore que lors de la première description du projet d'ensemble et que la volonté de synthèse de Balzac ne vint jamais à bout du caractère infini de ses analyses. On ne peut s'empêcher de penser en lisant les divers plans de* La Comédie humaine *au travail génial du grand savant russe Mendeleïev qui eut lui aussi l'intuition, en 1869, d'une* unité de composition *chimique de la matière et dont le tableau de classification des éléments reste une des gloires de l'esprit scientifique. Si les hasards de l'histoire n'avaient pas fait que la mort prématurée de Balzac et la découverte de Mendeleïev fussent séparées d'une vingtaine d'années, nul ne peut douter que Balzac eût dédié l'un des livres qu'il n'eut pas le temps d'écrire au chimiste sibérien, de la même façon qu'il dédia* Le Père Goriot *à Geoffroy Saint-Hilaire «comme un témoignage d'admiration de ses travaux et de son génie».*

Balzac a donc conçu le plus vaste projet d'écriture de tous les temps, toutes littératures confon-

*dues. Et ce n'est pas seulement à l'état civil qu'il aura voulu faire concurrence mais aux Écritures elles-mêmes, à la Bible — oui, le Livre — elle aussi charriant un torrent d'êtres, de généalogies, d'histoires, de lois, de proverbes, de grandeurs et de décadences, de coups de théâtre et de tonnerre, de crimes et de châtiments. C'est d'ailleurs Louis Lambert, l'un des personnages les plus autobiographiques de Balzac, qui risque dans ses notes l'audacieuse hypothèse : « Peut-être un jour le sens inverse de l'*Et Verbum caro factum est *serat-il le résumé d'un nouvel évangile qui dira : *Et la chair se fera le Verbe, elle deviendra* LA PAROLE DE DIEU. »*

    Pénétrer dans un tel univers n'est pas chose aisée car pour tirer le meilleur profit de la lecture d'un livre de Balzac on devrait pour bien faire avoir lu tous les autres. Or il faut bien commencer. Mais par quelle case entrer dans le tableau ?

    Dans leur édition du Club français du Livre (1962) Albert Béguin et Jean-A. Ducourneau ont proposé de lire La Comédie humaine *dans l'ordre chronologique des événements qu'elle relate. C'est une option qui a d'incontestables mérites. Elle implique en particulier que l'on commence la lecture de Balzac par* Louis Lambert — *précisément* — *qui est l'un des livres clés du système. Mais le caractère « philosophique » de ce roman, l'un des plus personnels de Balzac, où la chair et l'esprit se livrent un combat qui ne peut mener qu'à la folie, ne risque-t-il pas de déconcerter le lecteur qui voudrait s'initier à la pensée balzacienne et devrait commencer par en affronter l'aspect le plus extrême ?*

Blaise Cendrars recommande d'abord, dans la magnifique préface qu'il donne en 1949 à Ferragus, *de lire Balzac « pêle-mêle », dans un désordre généreux qui fut celui de la composition des romans. Mais quand le jeune Raymond Radiguet vient le voir pour prendre ses conseils, c'est la lecture de* Ferragus *qu'il lui suggère. C'est que Cendrars voit dans* Ferragus *« le prototype du récit balzacien et le premier en date de ses grands livres, où, en outre, dès la première page Balzac esquisse le plan psychologique, anatomique, physique, mécanique, économique de ce Paris moderne qui tiendra tant de place dans son œuvre, ne cessant de grandir et de se développer comme un monstrueux polype ou tumeur, ville tentaculaire qui flétrit secrètement tous ses habitants et vide les personnages de leur substance et dont Balzac ne cessera jamais d'observer l'évolution hystérique en clinicien ».*

En effet, pourquoi ne pas commencer par ce livre bref, fertile en actions spectaculaires, où se mêlent ironie et sens du tragique, d'accès facile et constituant cependant une sorte de quintessence des divers procédés et techniques utilisés par Balzac ? Balzac fait dire à l'un de ses personnages : « Un drame est une suite d'actions, de discours, de mouvements qui se précipitent vers une catas-trophe. » Considéré de ce point de vue, Ferragus *est sans doute l'un des titres les plus représentatifs de toute la* Comédie Humaine. *La construction dra-matique de ce roman fait immanquablement penser au montage cinématographique d'un film d'action et de mystère et nombreuses sont les scènes qui nous rappellent tel ou tel morceau sorti d'un des classiques du septième art.*

Ferragus commence comme un film de Fritz Lang ou de Murnau. Des plans successifs nous montrent des rues de Paris considérées sous l'angle de leurs « qualités humaines » : « Il est dans Paris certaines rues déshonorées autant que peut l'être un homme coupable d'infamie ; puis il existe des rues nobles, puis des rues simplement honnêtes, puis de jeunes rues sur la moralité desquelles le public ne s'est pas encore formé d'opinion ; puis des rues assassines, des rues plus vieilles que de vieilles douairières ne sont vieilles, des rues estimables, des rues toujours propres, des rues toujours sales, des rues ouvrières, travailleuses, mercantiles. »

Extérieur, nuit. Huit heures et demie du soir, rue Pagevin (« ... dans un temps où la rue Pagevin n'avait pas un mur qui ne répétât un mot infâme »*). Un jeune homme, un amoureux transi, surprend par hasard la femme de ses rêves inaccessibles — elle est mariée — dans cette rue sordide où n'a rien à faire une femme de sa condition. (*« Elle, dans cette

crotte, à cette heure!») Il la suit, l'espionne;
la femme s'engage dans la cour d'une maison
« ignoble, vulgaire, étroite, jaunâtre de ton, à quatre
étages et à trois fenêtres ». L'escalier de guingois,
le décor chargé de formes douteuses, les ombres qui
exagèrent et rendent absurdes les silhouettes : tout
contribue à nous plonger dans une ambiance qui est
celle de l'expressionnisme allemand. Balzac ne va-
t-il pas jusqu'à imaginer que le jeune homme qui
épie et devine le cheminement de sa dulcinée dans
la bâtisse dont les fenêtres s'éclairent une à une, se
recule «pour se coller en espalier sur le mur de
l'autre côté de la rue ». Il y a du Nosferatu dans cet
espalier que forment les bras de l'espion improvisé.

Ici, le préfacier s'abstiendra de décrire les péri-
péties dramatiques que la curiosité du jeune Maulincour va entraîner car elles constituent un suspense
dont la découverte des aléas et du dénouement
appartiennent d'abord au lecteur. C'est que le livre
prend désormais les allures d'un film d'Alfred
Hitchcock, avec ses personnages dont ni l'identité
ni l'intention ne sont jamais clairement établies;
ses révélations qui posent plus de questions qu'elles
n'apportent de réponses; ses nombreux messages
anonymes ou codés; ses ambiguïtés et ses mani-
gances sur fond de société secrète. Il suffira de dire
que Ferragus est le chef d'une société de «Compagnons », les fameux Treize; que Jules Desmarets est
un agent de change à qui la fortune a souri, qui file

avec son épouse, Mme Jules, un amour proche de la
perfection ; et qu'enfin le baron Auguste de Maulincour est un jeune officier secrètement amoureux de
Mme Jules. Comme il n'entre pas dans les intentions chevaleresques de Maulincour d'inciter celle-
ci à tromper son mari, on ne voit pas bien pourquoi
ces quatre-là en viendraient à se déchirer. Certes
Ferragus a un secret et Mme Jules aussi. Certes Maulincour est animé par une ardente passion. Certes
M. Desmarets va plus vite à prétendre sauver son
honneur qu'à faire usage de son intelligence. Mais
enfin, si ces quatre personnages se rencontraient
dans un café, au début du livre, chacun exposant
aux trois autres la vérité de sa situation, l'intrigue
n'aurait plus de raison de se nouer. Et il n'y aurait
pas de roman. Or la rencontre, ou plutôt les rencontres, vont bel et bien avoir lieu. Mais avec une
habileté diabolique, Balzac va laisser au hasard le
plus malheureux le soin de les faire se produire
dans un ordre catastrophique.

Quand Maulincour rencontre Mme Jules dans
une rue mal famée, il ne sait pas qui est Ferragus ;
quand il rencontre Ferragus sous un porche où les
passants s'abritent de la pluie il ne sait pas qui est
Ida Gruget, mystérieuse correspondante de Ferragus qui vient de perdre sous ce porche la lettre
qu'elle lui avait adressée. Quand Ferragus et Maulincour se rencontrent dans un bal donné par le
Préfet de la Seine, aucun des deux ne sait qui est
vraiment l'autre. Et quand Jules Desmarets décide

de rencontrer Maulincour en allant lui rendre visite pour obtenir une explication, c'est un fantôme aux identités multiples qui se dresse entre eux et les abandonne, l'un à sa rage et l'autre à son désespoir. Ferragus finira par comprendre, mais trop tard, pourquoi un jeune chef d'escadron le poursuivait de son hostile assiduité. C'est trop tard également que Desmarets finira par comprendre la complication croissante des allées et venues de sa femme. C'est trop tard enfin que Maulincour (qui s'était jeté dans cette histoire, « un roman à lire ; ou mieux, un drame à jouer et dans lequel il avait son rôle ») conviendra qu'il a mis le pied non pas seulement dans une ténébreuse affaire, mais dans un « affreux dédale ».

Le lecteur se trouve plongé, dès les premières pages du livre, dans un mystère qui comporte tous les attributs d'un roman policier à énigme sauf les deux principaux : un crime et un coupable. Mais à l'époque, le roman policier dans lequel un crime est commis et un coupable recherché, n'est pas encore devenu un « genre littéraire ». Le génie de monteur d'intrigues et l'intuition de Balzac dont l'écriture transcende tous les genres le poussent à intervertir l'ordre logique des phénomènes. Des crimes et des morts, il y en aura finalement beaucoup dans cette histoire dramatique. Mais le coupable est déjà coupable avant qu'aucun crime n'ait été commis. Le coupable est d'ailleurs désigné dès l'ouverture en forme de digression. Le coupable c'est Paris.

Paris fascine Balzac.

Si l'on en croit des statistiques établies à partir de l'exploration numérique d'un texte, le mot de Paris compterait plus de trois mille occurrences dans La Comédie humaine. *Et parmi tous les romans de Balzac c'est dans* Ferragus *que le nom de la capitale revient le plus souvent, presque deux fois plus que dans* La Fille aux yeux d'or, *ou* Illusions perdues, *romans dans lesquels Paris occupe une place pourtant si importante. Mais dans* Ferragus *Paris prend la stature d'un personnage et d'un personnage monstrueux entre tous. Pour Balzac, Paris est un monstre, « le plus délicieux des monstres ». Dans le premier paragraphe de* Ferragus *— extraordinaire poème en prose — Paris est décrit comme un gigantesque crustacé :*

Eh! quelle vie toujours active a le monstre? À peine le dernier frétillement des dernières voitures de bal cesse-t-il au cœur que déjà ses bras se remuent aux Barrières, et il se secoue lentement. Toutes les portes bâillent, tournent sur leurs gonds, comme les membranes d'un grand homard, invisiblement manœuvrées par trente mille hommes ou femmes, dont chacune ou chacun vit dans six pieds carrés, y possède une cuisine, un atelier, un lit, des enfants, un jardin, n'y voit pas clair, et doit tout voir. Insensiblement les articulations craquent, le mouvement se communique, la rue parle. À midi, tout est vivant, les cheminées fument, le monstre mange ; puis il rugit, puis ses mille pattes s'agitent. Beau spectacle !

Jules Desmarets et Ferragus, si étrangers l'un à l'autre, auront finalement un sort commun pour avoir été broyés l'un et l'autre par les pinces et dévorés par les mandibules de la bête. Ils se sépareront sans un mot, d'accord pourtant sur un fantasme : « Brûler Paris. (...) anéantir ce réceptacle de monstruosités » qui a fait leur malheur.

Il était naturel que le Paris du milieu du XIXᵉ siècle, à la fois capitale intellectuelle du monde, centre nerveux de la révolution industrielle et place grouillante où se côtoyaient toutes les classes sociales, fût le berceau du roman policier. Le cadre typique du roman policier est la grande ville où quelques centaines de mètres seulement séparent les beaux quartiers des bas-fonds, où hommes d'affaires et anciens bagnards se croisent en conservant chacun son anonymat, où le hasard et la logique forment un couple contre nature. Edgar Poe situe dans Paris, sans y être jamais venu, son Double assassinat dans la rue Morgue *(1841). L'énigme y joue un rôle évidemment important mais Poe a regretté que des lectures hâtives de son œuvre l'aient privilégiée au détriment de la description du travail de son policier Dupin, qui tient plus de l'introspection surhumaine que de la déduction policière. La même année, Eugène Sue commence à rédiger ses* Mystères de Paris *dans lesquels l'accent est mis cette fois sur l'aspect social de la question et l'atmosphère des quartiers interlopes.*

Avec Ferragus *Balzac les aura devancés en jouant tour à tour sur chacun des registres du roman d'intrigues. Comme d'habitude il veut tout. Et nous aurons droit, avec cet ancêtre du roman noir, à une énigme impénétrable, à une description historique de Paris, à une étude sociale et à une analyse du comportement humain.*

Balzac nous fait passer insensiblement de l'intérêt que nous pourrions porter à une intrigue à une compassion que nous éprouvons pour ses personnages. C'est comme si nous allions d'une scène de la vie parisienne à une scène de la vie privée. Car ce qui nous importe, au fur et à mesure que nous avançons dans notre lecture, c'est le sort d'êtres que le hasard va faire s'entre-déchirer parce que les intentions légitimes de chacun seront pour les autres la source des plus terribles malentendus. Une rencontre telle qu'il ne peut s'en faire que dans une ville comme Paris, la maladresse d'un étourdi guidé par la « funeste curiosité de ce monde qui s'agite et se presse, pour se presser et s'agiter » et qui veut se muer en justicier, aboutissent à un enchaînement de conséquences qui figent la vie de ces personnages dans les plis de marbre de la destinée.

Une dernière référence au cinéma : le livre s'achève par des scènes dignes d'être tournées par un Francis Ford Coppola. Ferragus le Parrain rôde autour d'obsèques dont il a en secret organisé les pompes et qui n'ont rien à envier à l'apparat des cérémonies funéraires de la mafia. Des calèches noires ostentatoires comme des limousines Cadillac chargées d'imposantes couronnes font leur entrée dans le cimetière du Père-Lachaise. Puis, après un moment de recueillement autour de la fosse, douze mystérieux hommes en deuil laissent aux fossoyeurs le soin d'achever leur travail.

« Ici, semble finir le récit de cette histoire », écrit Balzac. Mais justement, comme dans les meilleurs scénarios, une sorte de coda permet à l'auteur de placer un ultime coup de théâtre au cours duquel Ferragus donnera encore une preuve de ses étranges pouvoirs. Car Ferragus n'est pas n'importe qui, c'est Ferragus XXIII, le chef des Dévo-rants. Dévorants *est une altération de* Devoirants *; la notion de devoir est liée par principe à toutes les sociétés de Compagnons. Il ne fait guère de doute que Balzac s'est complu à associer au fait de la société secrète l'idée de dévoration. Dans* Massimilia Doni, *il imagine ce curieux dialogue :*

« Moi, je possède le monde entier, dit Capraja qui fit un geste royal en étendant la main.
— Et moi je l'ai dévoré », répliqua le duc.

*Dans sa préface générale à l'*Histoire des Treize, *Balzac évoque avec gourmandise le pacte scellé entre ces treize hommes dont les origines, les conditions sociales, les caractères et même jusqu'aux intérêts particuliers peuvent différer en tout point mais qui ont juré de s'apporter dans les circonstances les plus graves une assistance mutuelle qu'aucune force ne saurait contrarier. Treize hommes, c'est-à-dire douze et le roi qu'ils se sont choisi. Ces chiffres sont évidemment chargés d'Histoire et de symboles : Jacob et ses douze fils à l'origine des douze tribus d'Israël ; le Christ et les douze apôtres... À la fin de* Ferragus, *Jules Desmarets et son aide monteront dans la treizième calèche.*

Balzac se délecte à faire des mystères autour de l'un de ces héros anonymes qui lui aurait permis de raconter « à sa guise » les différentes aventures de ce groupe de l'ombre. Coutumier du fait de mêler sans fin les événements de sa vie et les fictions qu'il imaginait, il est allé jusqu'à créer une société secrète qui devait fonctionner sur ce modèle et quelques-uns de ses amis ont apporté un temps une assistance dubitative à son projet. Le Cheval rouge, *sorte de franc-maçonnerie littéraire, réunit un moment autour d'une table de restaurant des auteurs comme Théophile Gautier ou Alphonse Karr, à qui Balzac faisait miroiter les splendeurs de leur existence à venir quand l'association aurait réussi à s'assurer, au profit de ses membres, les*

postes clés des milieux de la presse, de la littéra-
ture et du spectacle. Pour Balzac la vie réelle n'est
qu'un théâtre sur la scène duquel il joue un moment
ses rêves mégalomanes. Puis il retourne à la réa-
lité, c'est-à-dire à l'écriture de ses livres.

L'écriture de Ferragus *communique une impres-*
sion d'enthousiasme et d'improvisation heureuse.
Balzac donne le sentiment d'y être dans son élé-
ment qui est la fièvre créatrice. Quand ce n'est pas
le coursier de la Revue de Paris *qui vient prendre à*
dix heures les feuillets par paquet de huit, c'est
Balzac qui va les porter lui-même à midi, encore
humides de l'encre fraîche. Et s'il en manque
encore pour finir les vingt pages réclamées, il n'y
aura qu'à reprendre le passage d'un autre texte
dont les placards sont prêts, par exemple un frag-
ment de la Théorie de la démarche *que Balzac*
retouchera au dernier moment. Il est vraiment
miraculeux que le plan de Ferragus, *conçu dans la*
précipitation de ces circonstances, paraisse en fin
de compte d'une rigueur qui tient du machiavé-
lisme. Chaque épisode donne à Balzac l'occasion
d'écrire un morceau de bravoure qu'il exécute alors
avec brio. Adoptant dans sa préface un ton de boni-
menteur qui vante les mérites du spectacle auquel il
nous convie d'assister, il professe avec une ironie
manifeste : « Un auteur doit dédaigner de conver-
tir son récit, quand ce récit est véritable, en une
espèce de joujou à surprise, et de promener, à la

manière de quelques romanciers, le lecteur, pendant quatre volumes, de souterrains en souterrains, pour lui montrer un cadavre tout sec, et lui dire, en forme de conclusion, qu'il lui a constamment fait peur d'une porte cachée dans quelque tapisserie, ou d'un mort laissé par mégarde sous des planchers. » Or Ferragus *est pour une large part « un joujou à surprise »* et Balzac ne se prive pas de mener son lecteur de duels en attentats et d'empoisonnement criminel en suicide.

L'Histoire des Treize *ne comportera en définitive que trois épisodes,* Ferragus, La Duchesse de Langeais *et* La Fille aux yeux d'or. *Dans une note publiée dans la* Revue de Paris *en appendice à* Ferragus, *Balzac explique de façon ambiguë et délibérément mystérieuse l'absence des dix autres récits : « Quant aux autres drames de cette histoire, si féconde en drames, ils peuvent se conter entre onze heures et minuit; mais il est impossible de les écrire. » L'identité de chacun des Treize n'est révélée qu'à l'occasion d'un échec. Ceux qui conservent leur pouvoir demeurent dans l'ombre. Michel Butor a justement souligné que cette explication avancée par Balzac lui permettra de justifier dans le reste de son œuvre n'importe quelle invraisemblance : si un événement incroyable se produit, c'est certainement que l'un des Treize que nous ne connaissons pas aura usé de son influence de façon souterraine. L'univers balzacien est essentielle-*

ment inachevé mais c'est aussi dans l'inachèvement que Balzac puise les ressources qui lui permettent de rassembler encore les membres épars de son œuvre.

La préface datée de 1831 dans laquelle se trouve décrit un projet qui ne sera réalisé qu'en partie, doit être lue comme le véritable préambule de Ferragus. Au passage, Balzac y annonce pour la première fois ce qui deviendra le ciment de la future Comédie humaine : la réapparition des mêmes personnages d'un épisode à l'autre.

La lecture de Ferragus achevée, une question se pose à nous : comment se fait-il que nous accordions tant de crédit au récit d'aventures à ce point exceptionnelles pour ne pas dire extravagantes, vécues par des personnages auxquels nous pensons avoir quelque peine à nous identifier, et ce dans le cadre d'un Paris dont plus d'un siècle et demi nous sépare ? Cela tient à la nature même du génie de Balzac qui trouve sa force de conviction à la fois dans l'exubérance de son imagination, dans la justesse au fond de ses analyses, dans la perfection de ses descriptions et dans ce qu'il faut bien appeler l'extraordinaire modernité de son style. Gardons-nous de ne lire qu'en diagonale les fameuses « digressions » qu'on lui a si souvent reprochées : c'est au moment même où Balzac semble s'attarder de manière superflue sur la description d'une rue *de Paris ou la façon de marcher d'une passante, que le drame se noue, que la vérité psychologique des personnages se précise. Pour nous dire que telle femme est une bourgeoise aux origines incertaines ou que tel militaire désœuvré est un sot, Balzac ne nous décrit pas leurs sentiments comme cela se fait dans de mauvais romans psychologiques désignés bien à tort sous l'étiquette de « romans balzaciens ». Non, il décrit l'ameublement de leur salon, les tableaux qui sont accrochés aux murs, l'état des parquets ou des tentures. Et le caractère du personnage se dessine à travers les signes extérieurs qui trahissent ses goûts, son statut social, ses obsessions... Il y a un exemple tout à fait remarquable de cette méthode si particulière dans une relation qu'il fait d'une de ses visites à George Sand. Le 2 mars 1838, il écrit à Mme Hanska : «J'ai trouvé le camarade George Sand dans sa robe de chambre, fumant un cigare après le dîner, au coin de son feu, dans une immense chambre solitaire. Elle avait de jolies pantoufles jaunes, ornées d'effilées, des bas coquets et un pantalon rouge. Voilà pour le moral. »* Des bas coquets et un pantalon rouge. Voilà pour le moral !

Dans Ferragus, *il utilise le même procédé pour décrire la veuve Gruget, la logeuse de Ferragus : «Jules étudia tout. Il regarda fort attentivement le visage jaune de Mme Gruget, ses yeux gris, sans sourcils, dénués de cils, sa bouche démeublée, ses rides pleines de tons noirs, son bonnet de tulle roux, à ruches plus rousses encore, et ses jupons d'indienne troués, ses pantoufles usées, sa chaufferette brûlée, sa table chargée de plats et de soieries, d'ouvrages en coton, en laine, au milieu desquels s'élevait une bouteille de vin. Puis, il se dit en lui-même : "Cette femme a quelque passion, quelques vices cachés, elle est à moi." »*

Ici nous sommes loin de la banale description d'un caractère. Balzac ne cesse de nous dire qu'il n'y a au monde que les apparences et les opinions qu'on peut s'en faire. Il faudra attendre les analyses raffinées de Proust, les monologues intérieurs de Joyce et jusqu'aux plus subtiles recherches d'une Nathalie Sarraute pour retrouver un tel renversement de perspective, une telle audace dans l'approche psychologique du personnage. Théophile Gautier, toujours perspicace, avait déjà noté dans son étude sur Balzac (Paris, 1859) : « *L'on a fait nombre de critiques sur Balzac et parlé de lui de bien des façons, mais on n'a pas insisté sur un point très caractéristique à notre avis : ce point est la modernité absolue de son génie.* » Et Gautier de préciser : « *De cette* modernité *sur laquelle nous appuyons à dessein provenait, sans qu'il s'en doutât, la difficulté de travail qu'éprouvait Balzac dans l'accomplissement de son œuvre : la langue française épurée par les classiques du XVIIe siècle, n'est propre, lorsqu'on veut s'y conformer, qu'à rendre les idées générales, et qu'à peindre des figures conventionnelles dans un milieu vague. Pour expri-*

mer cette multiplicité de détails, de caractères, de types, d'architectures, d'ameublements, Balzac fut obligé de se forger une langue spéciale, composée de toutes les technologies, de tous les argots de la science, de l'atelier, des coulisses, de l'amphi-théâtre même. Chaque mot qui disait quelque chose était le bienvenu, et la phrase, pour le recevoir, ouvrait une incise, une parenthèse, et s'allongeait complaisamment. C'est ce qui a fait dire aux cri-tiques superficiels que Balzac ne savait pas écrire. Il avait, bien qu'il ne le crût pas, un style et un très beau style — le style nécessaire, fatal et mathéma-tique de son idée ! »

Et c'est bien cela qui nous rend Balzac si proche et force notre conviction quand nous lisons ses mélodrames les plus échevelés. C'est que le style pour lui n'est pas un moyen de produire des périodes admirables ni de faire des effets de manches ; le style pour Balzac est un moyen d'investigation du réel, d'une réalité universelle à laquelle nous appar-tenons encore. Bien entendu, le Paris d'aujourd'hui n'est pas tellement étranger au Paris de son époque parce qu'il est toujours peuplé d'êtres en proie aux mêmes vices et magnifiant les mêmes vertus qu'illustraient Ferragus et Mme Jules. Serait-il si difficile d'y trouver treize sujets d'une élite obscure tirant les ficelles du pouvoir ? L'essence même de tout pouvoir ne réside-t-elle pas dans le secret ? Paris manque-t-il aujourd'hui de gens pour se pres-ser et s'agiter ? Qui peut s'y dire à l'abri de la

*curiosité intempestive d'un voisin ? La jalousie a-
t-elle disparu du cœur des hommes ? N'y aurait-il
plus d'agents de change ni de femmes entretenues ?
Et les tracasseries administratives dont Balzac nous
fait à propos des sépultures une peinture kafkaïenne
ne seraient-elles plus qu'un mauvais souvenir ?*

Mais cette actualité *purement circonstancielle
des scènes décrites par Balzac n'est rien encore au
regard de leur valeur d'universalité. Ce qui fait de
nous des lecteurs complices de son œuvre, c'est que
Balzac a réussi son projet au-delà même de ce qu'il
annonçait et espérait : il voulait peindre toute une
société, il a peint le genre humain. Nous nous aper-
cevons en le lisant que nous sommes à l'intérieur
du système qu'il a décrit. Dans une analyse des
plus pénétrantes Hugo von Hofmannsthal a su dire
pourquoi l'œuvre de Balzac ne saurait subir les
outrages du temps. C'est que nous la portons en
nous avant même d'en avoir entrepris la lecture :*

Chacun peut trouver dans l'œuvre de Balzac les
aspects de la vie totale qui correspondent le mieux
à sa nature. Plus une expérience est riche et nourrie,
plus une imagination est vive, et plus volontiers
elles s'engageront toutes deux dans cette lecture.
En abordant Balzac, le lecteur n'a besoin de laisser derrière lui aucune part de lui-même. Tous les
mouvements de son âme, même les plus impurs,
entreront en jeu. Il retrouvera dans cette œuvre

l'univers — tant extérieur qu'intérieur — qui lui est familier, mais plus ramassé, plus étrange et comme resplendissant d'une flamme secrète. Il y retrouvera les forces qui le déterminent et les entraves qui le paralysent. Voici les maladies de l'âme, les désirs, les aspirations à demi conscientes, les néfastes orgueils ; voici tous les monstres qui grouillent au fond de nous. Voici avant tout la grande ville qui nous est familière, ou bien la province dans les rapports qui l'unissent à la ville. Voici l'argent, le monstrueux pouvoir de l'argent, la philosophie de l'argent figurée par des personnages, le mythe de l'argent. Voici les diverses couches de la société, les groupements politiques qui sont encore plus ou moins les nôtres ; voici la fièvre de l'ambition, la fièvre du gain, la magie du travail, les mystérieuses solitudes de l'artiste, de l'inventeur, tout, jusqu'aux mesquineries de la petite vie bourgeoise, à la triste misère, au gant péniblement et fréquemment lavé, et même jusqu'aux commérages des domestiques.

Il paraît que du vivant de Balzac des cercles d'hommes et de femmes s'étaient constitués à Venise et en Russie pour se distribuer les rôles des personnages de La Comédie humaine. *On dit que cela allait bien au-delà de l'aimable théâtre de société. Cela ressemblait plutôt à ce que l'on appelle de nos jours un jeu de rôles où certains, comme on le sait, ont laissé leur peau. On imagine tel comte moscovite s'appliquant à revivre à l'identique les* aventures mouvementées et inavouables de Ferragus, tandis qu'une dame de la Cité des Doges refuserait de mourir sans être passée par les affres qu'a connues Mme Jules. Pour le coup, c'est vraiment la chair de ces Vénitiens et de ces Russes qui se sera faite Verbe !

Chacun de nous est à sa façon un personnage de La Comédie humaine.

Roger BORDERIE

Histoire des Treize

PRÉFACE

Il s'est rencontré, sous l'Empire et dans Paris, treize hommes également frappés du même sentiment, tous doués d'une assez grande énergie pour être fidèles à la même pensée, assez probes entre eux pour ne point se trahir, alors même que leurs intérêts se trouvaient opposés, assez profondément politiques pour dissimuler les liens sacrés qui les unissaient, assez forts pour se mettre au-dessus de toutes les lois, assez hardis pour tout entreprendre, et assez heureux pour avoir presque toujours réussi dans leurs desseins ; ayant couru les plus grands dangers, mais taisant leurs défaites ; inaccessibles à la peur, et n'ayant tremblé ni devant le prince, ni devant le bourreau, ni devant l'innocence ; s'étant acceptés tous, tels qu'ils étaient, sans tenir compte des préjugés sociaux ; criminels sans doute, mais certainement remarquables par quelques-unes des qualités qui font les grands hommes, et ne se recrutant que parmi les hommes d'élite. Enfin, pour que rien ne manquât à la sombre et mystérieuse poésie de cette histoire, ces treize hommes sont restés inconnus, quoique tous aient réalisé les plus bizarres idées que suggère à l'imagination la fantastique puissance faussement attribuée aux Manfred, aux Faust, aux Melmoth[1]; et tous aujourd'hui sont brisés, dispersés du moins. Ils sont paisiblement rentrés sous le joug des lois civiles, de même que Morgan[2], l'Achille des pirates, se fit, de ravageur, colon tranquille, et disposa sans remords, à la lueur du foyer domestique, de millions ramassés dans le sang, à la rouge clarté des incendies.

Depuis la mort de Napoléon, un hasard que l'auteur doit taire encore a dissous les liens de cette vie secrète, curieuse, autant que peut l'être le plus noir des romans de Mme Radcliffe[3]. La permission assez étrange de raconter à sa guise quelques-unes des aventures arrivées à ces hommes, tout en respectant certaines convenances, ne lui a été que récemment donnée par un de ces héros anonymes auxquels la société tout entière fut occultement soumise, et chez lequel il croit avoir surpris un vague désir de célébrité.

Cet homme en apparence jeune encore, à cheveux

1. Ces héros de Byron, Goethe et Maturin ont en commun d'avoir conclu un pacte avec des puissances infernales et d'exercer un pouvoir surhumain.
2. Aventurier anglais du XVIIe siècle qui ravagea pendant cinq ans les colonies espagnoles des Antilles et de l'Amérique centrale, avant d'être nommé gouverneur de la Jamaïque et d'achever sa vie paisiblement en 1688.
3. Ann Radcliffe (1764-1823): écrivain anglais, auteur de célèbres romans «noirs» *(Les Mystères d'Udolphe)* à la fin desquels les événements surnaturels relatés trouvent une explication rationnelle.

blonds, aux yeux bleus, dont la voix douce et claire semblait annoncer une âme féminine, était pâle de visage et mystérieux dans ses manières, il causait avec amabilité, prétendait n'avoir que quarante ans, et pouvait appartenir aux plus hautes classes sociales. Le nom qu'il avait pris paraissait être un nom supposé ; dans le monde, sa personne était inconnue. Qu'est-il ? On ne sait.

Peut-être, en confiant à l'auteur les choses extraordinaires qu'il lui a révélées, l'inconnu voulait-il les voir en quelque sorte reproduites, et jouir des émotions qu'elles feraient naître au cœur de la foule, sentiment analogue à celui qui agitait Macpherson[1] quand le nom d'Ossian, sa créature, s'inscrivait dans tous les langages. Et c'était, certes, pour l'avocat écossais, une des sensations les plus vives, ou les plus rares du moins, que l'homme puisse se donner. N'est-ce pas l'incognito du génie ? Écrire l'*Itinéraire de Paris à Jérusalem*[2], c'est prendre sa part dans la gloire humaine d'un siècle ; mais doter son pays d'un Homère, n'est-ce pas usurper sur Dieu ?

L'auteur connaît trop les lois de la narration pour ignorer les engagements que cette courte préface lui fait contracter ; mais il connaît assez l'*Histoire des Treize* pour être certain de ne jamais se trouver

---

1. James Macpherson (1736-1796) : littérateur écossais, célèbre surtout pour avoir publié des *Poèmes d'Ossian* qu'il prétendait avoir traduits d'un ancien barde celtique.
2. François-René de Chateaubriand (1811).

au-dessous de l'intérêt que doit inspirer ce programme. Des drames dégouttant de sang, des comé-
dies pleines de terreurs, des romans où roulent des
têtes secrètement coupées, lui ont été confiés. Si
quelque lecteur n'était pas rassasié des horreurs
froidement servies au public depuis quelque temps,
il pourrait lui révéler de calmes atrocités, de surpre-
nantes tragédies de famille, pour peu que le désir de
les savoir lui fût témoigné. Mais il a choisi de préférence les aventures les plus douces, celles où des
scènes pures succèdent à l'orage des passions, où la
femme est radieuse de vertus et de beauté. Pour
l'honneur des Treize, il s'en rencontre de telles dans
leur histoire, qui peut-être aura l'honneur d'être
mise un jour en pendant de celle des flibustiers, ce
peuple à part, si curieusement énergique, si atta-
chant malgré ses crimes.

Un auteur doit dédaigner de convertir son récit,
quand ce récit est véritable, en une espèce de joujou
à surprise, et de promener, à la manière de quelques
romanciers, le lecteur, pendant quatre volumes, de
souterrains en souterrains, pour lui montrer un
cadavre tout sec, et lui dire, en forme de conclusion,
qu'il lui a constamment fait peur d'une porte cachée
dans quelque tapisserie, ou d'un mort laissé par
mégarde sous des planchers. Malgré son aversion
pour les préfaces, l'auteur a dû jeter ces phrases en
tête de ce fragment. *Ferragus* est un premier épisode qui tient par d'invisibles liens à l'Histoire des
Treize, dont la puissance naturellement acquise peut

seule expliquer certains ressorts en apparence surnaturels. Quoiqu'il soit permis aux conteurs d'avoir
une sorte de coquetterie littéraire, en devenant histo-
riens, ils doivent renoncer aux bénéfices que pro-
cure l'apparente bizarrerie des titres sur lesquels se
fondent aujourd'hui de légers succès. Aussi l'auteur
expliquera-t-il succinctement ici les raisons qui
l'ont obligé d'accepter des intitulés peu naturels en
apparence.

FERRAGUS est, suivant une ancienne coutume,
un nom pris par un chef de Dévorants. Le jour de
leur élection, ces chefs continuent celle des dynasties dévorantesques dont le nom leur plaît le plus,
comme le font les papes à leur avènement, pour
les dynasties pontificales. Ainsi les Dévorants ont
Trempe-la-Soupe IX, *Ferragus XXII*, *Tutanus XIII*,
Masche-Fer IV, de même que l'Église a ses Clé-
ment XIV, Grégoire IX, Jules II, Alexandre VI, etc.
Maintenant, que sont les Dévorants ? Dévorants est
le nom d'une des tribus de *Compagnons* ressortis-
sant jadis de la grande association mystique formée
entre les ouvriers de la chrétienté pour rebâtir le
temple de Jérusalem. Le *Compagnonnage* est encore
debout en France dans le peuple. Ses traditions,
puissantes sur des têtes peu éclairées et sur des gens
qui ne sont point assez instruits pour manquer à
leurs serments, pourraient servir à de formidables
entreprises, si quelque grossier génie voulait s'em-
parer de ces diverses sociétés. En effet, là, tous les
instruments sont presque aveugles ; là, de ville en

ville, existe pour les Compagnons, depuis un temps
immémorial, une *Obade*, espèce d'étape tenue par
une Mère, vieille femme, bohémienne à demi,
n'ayant rien à perdre, sachant tout ce qui se passe
dans le pays, et dévouée, par peur ou par une
longue habitude, à la tribu qu'elle loge et nourrit en
détail. Enfin, ce peuple changeant, mais soumis à
d'immuables coutumes, peut avoir des yeux en tous
lieux, exécuter partout une volonté sans la juger,
car le plus vieux Compagnon est encore dans l'âge
où l'on croit à quelque chose. D'ailleurs, le corps
entier professe des doctrines assez vraies, assez
mystérieuses, pour électriser patriotiquement tous
les adeptes si elles recevaient le moindre développement. Puis l'attachement des Compagnons à
leurs lois est si passionné, que les diverses tribus
se livrent entre elles de sanglants combats, afin de
défendre quelques questions de principes. Heureusement pour l'ordre public actuel, quand un Dévo-
rant est ambitieux, il construit des maisons, fait
fortune, et quitte le Compagnonnage. Il y aurait
beaucoup de choses curieuses à dire sur les *Compagnons du Devoir*, les rivaux des Dévorants, et sur
toutes les différentes sectes d'ouvriers, sur leurs
usages et leur fraternité, sur les rapports qui se trouvent entre eux et les francs-maçons ; mais ici ces
détails seraient déplacés. Seulement, l'auteur ajou-
tera que sous l'ancienne monarchie il n'était pas
sans exemple de trouver un Trempe-la-Soupe au
service du Roi, ayant place pour cent et un ans sur

ses galères ; mais de là, dominant toujours sa tribu, consulté religieusement par elle ; puis, s'il quittait sa chiourme, certain de rencontrer aide, secours et respect en tous lieux. Voir son chef aux galères n'est pour la tribu fidèle qu'un de ces malheurs dont la Providence est responsable, mais qui ne dispense pas les Dévorants d'obéir au pouvoir créé par eux, au-dessus d'eux. C'est l'exil momentané de leur roi légitime, toujours roi pour eux. Voici donc le prestige romanesque attaché au nom de Ferragus et à celui de Dévorants complètement dissipé.

Quant aux Treize, l'auteur se sent assez fortement appuyé par les détails de cette histoire presque romanesque, pour abdiquer encore l'un des plus beaux privilèges de romancier dont il y ait exemple, et qui, sur le Châtelet de la littérature[1], pourrait s'adjuger à haut prix, et imposer le public d'autant de volumes que lui en a donné la CONTEMPORAINE[2]. Les Treize étaient tous des hommes trempés comme le fut Trelawny[3], l'ami de lord Byron, et dit-on, l'original du *Corsaire* ; tous fatalistes, gens de cœur et de poésie, mais ennuyés de la vie plate qu'ils menaient, entraînés vers des jouissances asiatiques

1. Des ventes à l'encan avaient lieu sur la place du Châtelet.
2. Elselina Vanayl de Yongh, dite Ida de Saint-Elme, actrice et femme de lettres dut sa célébrité à la publication des *Mémoires d'une contemporaine* (1827) rédigés à partir de ses notes par Armand Malitourne (1797-1866), historien et ami de Balzac. Elle publia par la suite, sous le pseudonyme de La Contemporaine, une série de récits scandaleux qui connurent un grand succès populaire.
3. Edward Trelawney (1792-1881) : ami de Byron qui s'inspira de ses aventures pour écrire *Le Corsaire* (1814).

par des forces d'autant plus excessives que, longtemps endormies, elles se réveillaient plus furieuses.
Un jour, l'un d'eux, après avoir relu *Venise sauvée*[1],
après avoir admiré l'union sublime de Pierre et de
Jaffier, vint à songer aux vertus particulières des
gens jetés en dehors de l'ordre social, à la probité
des bagnes, à la fidélité des voleurs entre eux, aux
privilèges de puissance exorbitante que ces hommes
savent conquérir en confondant toutes les idées dans
une seule volonté. Il trouva l'homme plus grand que
les hommes. Il présuma que la société devait appartenir tout entière à des gens distingués qui, à leur
esprit naturel, à leurs lumières acquises, à leur fortune, joindraient un fanatisme assez chaud pour
fondre en un seul jet ces différentes forces. Dès lors,
immense d'action et d'intensité, leur puissance
occulte, contre laquelle l'ordre social serait sans
défense, y renverserait les obstacles, foudroierait les
volontés, et donnerait à chacun d'eux le pouvoir
diabolique de tous. Ce monde à part dans le monde,
hostile au monde, n'admettant aucune des idées du
monde, n'en reconnaissant aucune loi, ne se sou-
mettant qu'à la conscience de sa nécessité, n'obéissant qu'à un dévouement, agissant tout entier pour
un seul des associés quand l'un d'eux réclamerait
l'assistance de tous ; cette vie de flibustier en gants

1. Tragédie de l'Anglais Thomas Otway (1652-1685). Dans ce drame,
la complicité qui lie les deux héros paraît exemplaire. Dans *Illusions
perdues*, Vautrin demande à Rubempré s'il a « compris cette amitié profonde qui lie Pierre et Jaffier », et dans *Le Père Goriot*, il se flatte auprès
de Rastignac de savoir par cœur *La Venise sauvée*.

jaunes et en carrosse; cette union intime de gens
supérieurs, froids et railleurs, souriant et maudissant
au milieu d'une société fausse et mesquine; la certitude de tout faire plier sous un caprice, d'ourdir
une vengeance avec habileté, de vivre dans treize
cœurs; puis le bonheur continu d'avoir un secret de
haine en face des hommes, d'être toujours armé
contre eux, et de pouvoir se retirer en soi avec une
idée de plus que n'en avaient les gens les plus
remarquables; cette religion de plaisir et d'égoïsme
fanatisa treize hommes qui recommencèrent la
Société de Jésus au profit du diable. Ce fut horrible
et sublime. Puis le pacte eut lieu; puis il dura, précisément parce qu'il paraissait impossible. Il y eut
donc dans Paris treize frères qui s'appartenaient et
se méconnaissaient tous dans le monde; mais qui se
retrouvaient réunis, le soir, comme des conspira-
teurs, ne se cachant aucune pensée, usant tour à tour
d'une fortune semblable à celle du Vieux de la
Montagne[1]; ayant les pieds dans tous les salons, les
mains dans tous les coffres-forts, les coudes dans la
rue, leurs têtes sur tous les oreillers, et, sans scru-
pules, faisant tout servir à leur fantaisie. Aucun chef
ne les commanda, personne ne put s'arroger le
pouvoir; seulement la passion la plus vive, la circonstance la plus exigeante passait la première. Ce
furent treize rois inconnus, mais réellement rois, et

---

1. Surnom de Hassan-ben-Sabbah, qui fonda au XIe siècle en Islam
la secte hérétique des Assassins (de l'arabe *hashishi* : mangeurs de
hashisch) et étendit son pouvoir sur une partie de la Perse et de la Syrie.

plus que rois, des juges et des bourreaux qui, s'étant fait des ailes pour parcourir la société du haut en bas, dédaignèrent d'y être quelque chose, parce qu'ils y pouvaient tout. Si l'auteur apprend les causes de leur abdication, il les dira.

Maintenant, il lui est permis de commencer le récit des trois épisodes qui, dans cette histoire, l'ont plus particulièrement séduit par la senteur parisienne des détails, et par la bizarrerie des contrastes.

Paris, 1831[1].

---

1. En réalité : 1833.

Ferragus,

chef des Dévorants

À Hector Berlioz[1]

---

1. La dédicace apparaît pour la première fois en 1843. Le *Requiem* avait connu un grand succès en 1837. Balzac pense à son *Dies irae* lorsqu'il écrit la dernière partie de son roman.

CHAPITRE I

MADAME JULES

le ton.
1.

Il est dans Paris certaines rues déshonorées autant
que peut l'être un homme coupable d'infamie ; puis il
existe des rues nobles, puis des rues simplement honnêtes, puis de jeunes rues sur la moralité desquelles le
public ne s'est pas encore formé d'opinion ; puis des
rues assassines, des rues plus vieilles que de vieilles
douairières ne sont vieilles, des rues estimables, des
rues toujours propres, des rues toujours sales, des rues
ouvrières, travailleuses, mercantiles. Enfin, les rues
de Paris ont des qualités humaines, et nous impriment
par leur physionomie certaines idées contre lesquelles
nous sommes sans défense. Il y a des rues de mauvaise compagnie où vous ne voudriez pas demeurer,
et des rues où vous placeriez volontiers votre séjour.
Quelques rues, ainsi que la rue Montmartre, ont une
belle tête et finissent en queue de poisson. La rue de
la Paix est une large rue, une grande rue ; mais elle
ne réveille aucune des pensées gracieusement nobles
qui surprennent une âme impressible[1] au milieu de

1. Néologisme imaginé par Balzac pour désigner l'état de personnes
plus qu'impressionnables.

la rue Royale, et elle manque certainement de la
majesté qui règne dans la place Vendôme. Si vous
vous promenez dans les rues de l'île Saint-Louis, ne
demandez raison de la tristesse nerveuse qui s'em-
pare de vous qu'à la solitude, à l'air morne des maisons et des grands hôtels déserts. Cette île, le cadavre
des fermiers généraux, est comme la Venise de
Paris[1]. La place de la Bourse est babillarde, active,
prostituée ; elle n'est belle que par un clair de lune, à
deux heures du matin : le jour, c'est un abrégé de
Paris ; pendant la nuit, c'est comme une rêverie de la
Grèce[2]. La rue Traversière-Saint-Honoré[3] n'est-elle

1. Au XVIIe siècle, l'île Saint-Louis était animée par les équipages des
fermiers généraux. Leurs somptueux hôtels, laissés à l'abandon, et le
voisinage du fleuve font songer à Venise.
2. La colonnade de Brongniart rappelle celle d'un temple antique.
3. Suivant en cela l'exemple de Balzac lui-même — «Malgré mon
aversion pour les notes, je fais celle-ci pour l'instruction publique»,
Étude sur M. Beyle, — nous avons réduit nos annotations du texte à ce
qui nous a paru strictement nécessaire. Par exemple, nous n'avons pas
jugé utile, pour ce qui concerne les noms des rues citées, d'interrompre
à chaque fois la lecture du texte pour préciser que celle-ci avait été
rebaptisée, ou que le tracé de celle-là avait été modifié ou encore que
telle autre avait purement et simplement disparu. Les travaux du baron
Haussmann ont complètement bouleversé le Paris de *La Comédie
humaine*. Les rues qui ont subsisté ont perdu le caractère psychologique
ou social que Balzac leur attribue dans *Ferragus*. L'auteur avait
d'ailleurs prévu, avec le génie de la formule qui le caractérise, qu'il
serait vain d'aller chercher ailleurs que dans ses livres la réalité de rues
qui n'ont plus qu'une *existence typographique*.
  Si la rue Coquillière, la rue Ménars et la rue Sainte-Foy existent toujours sous leur nom d'antan, la rue de Bourbon est devenue l'actuelle
rue de Lille et la rue Joquelet a été rebaptisée rue Léon-Cladel. Après le
percement de l'avenue de l'Opéra, il ne resta plus de la rue Traversière-
Saint-Honoré qu'un tronçon appelé aujourd'hui rue Molière. Quant aux
rues Fromenteau, Pagevin et Soly, elles ont été rayées de la carte, la

pas une rue infâme ? Il y a là de méchantes petites
maisons à deux croisées, où, d'étage en étage, se
trouvent des vices, des crimes, de la misère. Les
rues étroites exposées au nord, où le soleil ne vient
que trois ou quatre fois dans l'année, sont des rues
assassines qui tuent impunément ; la Justice d'aujourd'hui ne s'en mêle pas ; mais autrefois le Parlement eût peut-être mandé le lieutenant de police
pour le vitupérer *à ces causes* [1], et aurait au moins
rendu quelque arrêt contre la rue, comme jadis il en
porta contre les perruques du chapitre de Beauvais [2].
Cependant M. Benoiston de Châteauneuf [3] a prouvé
que la mortalité de ces rues était du double supérieure à celle des autres. Pour résumer ces idées par
un exemple, la rue Fromenteau n'est-elle pas tout à
la fois meurtrière et de mauvaise vie ? Ces observa-
tions, incompréhensibles au-delà de Paris, seront

---

première après le dégagement de la place du Carrousel et les deux dernières après l'ouverture de la rue Étienne-Marcel. La rue des Vieux-
Augustins (désormais rue Hérold) joignait ces deux rues qui n'existent
plus. L'un des itinéraires indiqués par Balzac est devenu incompréhen-
sible parce que la rue de Bourgogne a été en partie rebaptisée rue Aris-
tide-Briand.
   Nous recommandons aux lecteurs qui souhaiteraient accroître leur
érudition sur ce point, de se reporter à la belle étude proposée par
Patrick Boussel, *Le Paris de Balzac*, dans le tome XVI de l'Œuvre de
Balzac (Club français du Livre, 1962).
   1. Pour ces motifs. Le langage des juristes et de l'administration sus-
citera souvent l'ironie de Balzac.
   2. Le chapitre de la cathédrale de Beauvais avait rappelé à l'ordre un
ecclésiastique qui portait une perruque pour dire la messe.
   3. D'abord chirurgien des armées puis économiste, il a laissé des travaux de statistique scientifique (1776-1856).

sans doute saisies par ces hommes d'étude et de
pensée, de poésie et de plaisir qui savent récolter,
en flânant dans Paris, la masse de jouissances flot-
tantes, à toute heure, entre ses murailles ; par ceux
pour lesquels Paris est le plus délicieux des monstres :
là, jolie femme ; plus loin, vieux et pauvre ; ici, tout
neuf comme la monnaie d'un nouveau règne ; dans
ce coin, élégant comme une femme à la mode.
Monstre complet d'ailleurs ! Ses greniers, espèce
de tête pleine de science et de génie[1] ; ses premiers
étages, estomacs heureux ; ses boutiques, véritables
pieds ; de là partent tous les trotteurs, tous les affai-
rés. Eh ! quelle vie toujours active a le monstre ?
À peine le dernier frétillement des dernières voitures de bal cesse-t-il au cœur que déjà ses bras se
remuent aux Barrières, et il se secoue lentement.
Toutes les portes bâillent, tournent sur leurs gonds,
comme les membranes d'un grand homard, invisiblement manœuvrées par trente mille hommes ou
femmes, dont chacune ou chacun vit dans six pieds
carrés, y possède une cuisine, un atelier, un lit, des
enfants, un jardin, n'y voit pas clair, et doit tout voir.
Insensiblement les articulations craquent, le mouvement se communique, la rue parle. À midi, tout
est vivant, les cheminées fument, le monstre mange ;
puis il rugit, puis ses mille pattes s'agitent. Beau spectacle ! Mais, ô Paris ! qui n'a pas admiré tes sombres
paysages, tes échappées de lumière, tes culs-de-sac

---

1. Les étudiants et les artistes peu fortunés vivent sous les toits.

profonds et silencieux ; qui n'a pas entendu tes murmures, entre minuit et deux heures du matin, ne
connaît encore rien de ta vraie poésie, ni de tes
bizarres et larges contrastes. Il est un petit nombre
d'amateurs, de gens qui ne marchent jamais en écer-
velés, qui dégustent leur Paris, qui en possèdent si
bien la physionomie qu'ils y voient une verrue, un
bouton, une rougeur. Pour les autres, Paris est toujours cette monstrueuse merveille, étonnant assem-
blage de mouvements, de machines et de pensées, la
ville aux cent mille romans, la tête du monde. Mais,
pour ceux-là, Paris est triste ou gai, laid ou beau,
vivant ou mort ; pour eux, Paris est une créature ;
chaque homme, chaque fraction de maison est un
lobe du tissu cellulaire de cette grande courtisane de
laquelle ils connaissent parfaitement la tête, le cœur
et les mœurs fantasques. Aussi ceux-là sont-ils les
amants de Paris : ils lèvent le nez à tel coin de rue,
sûrs d'y trouver le cadran d'une horloge ; ils disent à
un ami dont la tabatière est vide : Prends par tel passage, il y a un débit de tabac, à gauche, près d'un
pâtissier qui a une jolie femme. Voyager dans Paris
est, pour ces poètes, un luxe coûteux. Comment ne
pas dépenser quelques minutes devant les drames,
les désastres, les figures, les pittoresques accidents
qui vous assaillent au milieu de cette mouvante
reine des cités, vêtue d'affiches et qui néanmoins
n'a pas un coin de propre, tant elle est complaisante
aux vices de la nation française ! À qui n'est-il pas
arrivé de partir, le matin, de son logis pour aller aux

extrémités de Paris, sans avoir pu en quitter le centre
à l'heure du dîner ? Ceux-là sauront excuser ce début
vagabond qui, cependant, se résume par une observation éminemment utile et neuve, autant qu'une
observation peut être neuve à Paris où il n'y a rien
de neuf, pas même la statue posée d'hier sur laquelle
un gamin a déjà mis son nom. Oui donc, il est des
rues, ou des fins de rue, il est certaines maisons,
inconnues pour la plupart aux personnes du grand
monde, dans lesquelles une femme appartenant à ce
monde ne saurait aller sans faire penser d'elle les
choses les plus cruellement blessantes. Si cette
femme est riche, si elle a voiture, si elle se trouve à
pied ou déguisée, en quelques-uns de ces défilés
du pays parisien, elle y compromet sa réputation
d'honnête femme. Mais si, par hasard, elle y est
venue à neuf heures du soir, les conjectures qu'un
observateur peut se permettre deviennent épouvantables par leurs conséquences. Enfin, si cette femme
est jeune et jolie, si elle entre dans quelque maison
d'une de ces rues ; si la maison a une allée longue
et sombre, humide et puante ; si au fond de l'allée
tremblote la lueur pâle d'une lampe, et que sous
cette lueur se dessine un horrible visage de vieille
femme aux doigts décharnés ; en vérité, disons-le,
par intérêt pour les jeunes et jolies femmes, cette
femme est perdue. Elle est à la merci du premier
homme de sa connaissance qui la rencontre dans ces
marécages parisiens. Mais il y a telle rue de Paris
où cette rencontre peut devenir le drame le plus

effroyablement terrible, un drame plein de sang et d'amour, un drame de l'école moderne. Malheureusement, cette conviction, ce dramatique sera, comme le drame moderne, compris par peu de personnes ; et c'est grande pitié que de raconter une histoire à un public qui n'en épouse pas tout le mérite local. Mais qui peut se flatter d'être jamais compris ? Nous mourons tous inconnus. C'est le mot des femmes et celui des auteurs.

À huit heures et demie du soir, rue Pagevin, dans un temps où la rue Pagevin n'avait pas un mur qui ne répétât un mot infâme, et dans la direction de la rue Soly, la plus étroite et la moins praticable de toutes les rues de Paris, sans en excepter le coin le plus fréquenté de la rue la plus déserte ; au commencement du mois de février, il y a de cette aventure environ treize ans[1], un jeune homme, par l'un de ces hasards qui n'arrivent pas deux fois dans la vie, tournait, à pied, le coin de la rue Pagevin pour entrer dans la rue des Vieux-Augustins, du côté droit, où se trouve précisément la rue Soly. Là, ce jeune homme, qui demeurait, lui, rue de Bourbon trouva dans la femme à quelques pas de laquelle il marchait fort insouciamment de vagues ressemblances avec la plus jolie femme de Paris, une chaste et délicieuse personne de laquelle il était en secret passionnément amoureux, et amoureux sans espoir : elle était mariée. En un moment son cœur

1. En 1819.

bondit, une chaleur intolérable sourdit de son dia-
phragme et passa dans toutes ses veines, il eut froid
dans le dos, et sentit dans sa tête un frémissement
superficiel. Il aimait, il était jeune, il connaissait
Paris ; et sa perspicacité ne lui permettait pas
d'ignorer tout ce qu'il y avait d'infamie possible
pour une femme élégante, riche, jeune et jolie, à se
promener là, d'un pied criminellement furtif. *Elle*,
dans cette crotte, à cette heure ! L'amour que ce
jeune homme avait pour cette femme pourra sem-
bler bien romanesque, et d'autant plus même qu'il
était officier dans la Garde royale. S'il eût été dans
l'infanterie, la chose serait encore vraisemblable ;
mais officier supérieur de cavalerie, il appartenait à
l'arme française qui veut le plus de rapidité dans
ses conquêtes, qui tire vanité de ses mœurs amou-
reuses autant que de son costume. Cependant la
passion de cet officier était vraie, et à beaucoup de
jeunes cœurs elle paraîtra grande. Il aimait cette
femme parce qu'elle était vertueuse, il en aimait la
vertu, la grâce décente, l'imposante sainteté, comme
les plus chers trésors de sa passion inconnue. Cette
femme était vraiment digne d'inspirer un de ces
amours platoniques qui se rencontrent comme des
fleurs au milieu de ruines sanglantes dans l'histoire
du Moyen Âge ; digne d'être secrètement le principe de toutes les actions d'un homme jeune ; amour
aussi haut, aussi pur que le ciel quand il est bleu ;
amour sans espoir et auquel on s'attache, parce
qu'il ne trompe jamais ; amour prodigue de jouis-

sances effrénées, surtout à un âge où le cœur est brûlant, l'imagination mordante, et où les yeux d'un homme voient bien clair. Il se rencontre dans Paris des effets de nuit singuliers, bizarres, inconcevables. Ceux-là seulement qui se sont amusés à les observer savent combien la femme y devient fantastique à la brune. Tantôt la créature que vous y suivez, par hasard ou à dessein, vous paraît svelte ; tantôt le bas, s'il est bien blanc, vous fait croire à des jambes fines et élégantes ; puis la taille, quoique enveloppée d'un châle, d'une pelisse, se révèle jeune et voluptueuse dans l'ombre ; enfin les clartés incertaines d'une boutique ou d'un réverbère donnent à l'inconnue un éclat fugitif, presque toujours trompeur, qui réveille, allume l'imagination et la lance au-delà du vrai. Les sens s'émeuvent alors, tout se colore et s'anime ; la femme prend un aspect tout nouveau ; son corps s'embellit ; par moments ce n'est plus une femme, c'est un démon, un feu follet qui vous entraîne par un ardent magnétisme jusqu'à une maison décente où la pauvre bourgeoise, ayant peur de votre pas menaçant ou de vos bottes retentissantes, vous ferme la porte cochère au nez sans vous regarder. La lueur vacillante que projetait le vitrage d'une boutique de cordonnier illumina soudain, précisément à la chute des reins, la taille de la femme qui se trouvait devant le jeune homme. Ah ! certes, *elle* seule était ainsi cambrée ! Elle seule avait le secret de cette chaste démarche qui met innocemment en relief les beautés des

formes les plus attrayantes. C'était et son châle du
matin et le chapeau de velours du matin. À son bas
de soie gris, pas une mouche, à son soulier pas une
éclaboussure. Le châle était bien collé sur le buste,
il en dessinait vaguement les délicieux contours, et
le jeune homme en avait vu les blanches épaules au
bal; il savait tout ce que ce châle couvrait de trésors. À la manière dont s'entortille une Parisienne
dans son châle, à la manière dont elle lève le pied
dans la rue, un homme d'esprit devine le secret
de sa course mystérieuse. Il y a je ne sais quoi de
frémissant, de léger dans la personne et dans la
démarche : la femme semble peser moins, elle va,
elle va, ou mieux elle file comme une étoile, et vole
emportée par une pensée que trahissent les plis et
les jeux de sa robe. Le jeune homme hâta le pas,
devança la femme, se retourna pour la voir... Pst!
elle avait disparu dans une allée dont la porte à
claire-voie et à grelot claquait et sonnait. Le jeune
homme revint, et vit cette femme montant au fond
de l'allée, non sans recevoir l'obséquieux salut
d'une vieille portière, un tortueux escalier dont les
premières marches étaient fortement éclairées; et
madame montait lestement, vivement, comme doit
monter une femme impatiente.

« Impatiente de quoi ? » se dit le jeune homme
qui se recula pour se coller en espalier sur le mur de
l'autre côté de la rue. Et il regarda, le malheureux,
tous les étages de la maison avec l'attention d'un
agent de police cherchant son conspirateur.

C'était une de ces maisons comme il y en a des milliers à Paris, maison ignoble, vulgaire, étroite, jaunâtre de ton, à quatre étages et à trois fenêtres. La boutique et l'entresol appartenaient au cordonnier. Les persiennes du premier étage étaient fermées. Où allait madame? Le jeune homme crut entendre les tintements d'une sonnette dans l'appartement du second. Effectivement, une lumière s'agita dans une pièce à deux croisées fortement éclairées, et illumina soudain la troisième dont l'obscurité annonçait une première chambre, sans doute le salon ou la salle à manger de l'appartement. Aussitôt la silhouette d'un chapeau de femme se dessina vaguement, la porte se ferma, la première pièce redevint obscure, puis les deux dernières croisées reprirent leurs teintes rouges. Là, le jeune homme entendit: *Gare*, et reçut un coup à l'épaule.

«Vous ne faites donc attention à rien», dit une grosse voix. C'était la voix d'un ouvrier portant une longue planche sur son épaule. Et l'ouvrier passa. Cet ouvrier était l'homme de la Providence, disant à ce curieux: «De quoi te mêles-tu? Songe à ton service, et laisse les Parisiens à leurs petites affaires.»

Le jeune homme se croisa les bras; puis, n'étant vu de personne, il laissa rouler sur ses joues des larmes de rage sans les essuyer. Enfin, la vue des ombres qui se jouaient sur ces deux fenêtres éclairées lui faisait mal, il regarda au hasard dans la partie supérieure de la rue des Vieux-Augustins, et

il vit un fiacre arrêté le long d'un mur, à un endroit
où il n'y avait ni porte de maison ni lueur de boutique.

Est-ce elle ? n'est-ce pas elle ? La vie ou la mort
pour un amant. Et cet amant attendait. Il resta là
pendant un siècle de vingt minutes. Après, la femme
descendit, et il reconnut alors celle qu'il aimait
secrètement. Néanmoins il voulut douter encore.
L'inconnue alla vers le fiacre et y monta.

« La maison sera toujours là, je pourrai toujours
la fouiller », se dit le jeune homme qui suivit la voiture en courant afin de dissiper ses derniers doutes,
et bientôt il n'en conserva plus.

Le fiacre s'arrêta rue de Richelieu, devant la
boutique d'un magasin de fleurs, près de la rue de
Ménars. La dame descendit, entra dans la boutique,
envoya l'argent dû au cocher, et sortit après avoir
choisi des marabouts[1]. Des marabouts pour ses cheveux noirs ! Brune, elle avait approché le plumage
de sa tête pour en voir l'effet. L'officier croyait
entendre la conversation de cette femme avec les
fleuristes.

« Madame, rien ne va mieux aux brunes, les
brunes ont quelque chose de trop précis dans
les contours, et les marabouts prêtent à leur toilette
un *flou* qui leur manque. Mme la duchesse de Langeais dit que cela donne à une femme quelque chose
de vague, d'ossianique et de très comme il faut.

---

1. Des plumes de marabout.

— Bien. Envoyez-les-moi promptement. »

Puis la dame tourna lestement vers la rue de Ménars, et rentra chez elle. Quand la porte de l'hôtel où elle demeurait fut fermée, le jeune amant, ayant perdu toutes ses espérances, et, double malheur, ses plus chères croyances, alla dans Paris comme un homme ivre, et se trouva bientôt chez lui sans savoir comment il y était venu. Il se jeta dans un fauteuil, resta les pieds sur ses chenets, la tête entre les mains, séchant ses bottes mouillées, les brûlant même. Ce fut un moment affreux, un de ces moments où, dans la vie humaine, le caractère se modifie, et où la conduite du meilleur homme dépend du bonheur ou du malheur de sa première action. Providence ou Fatalité, choisissez.

Ce jeune homme appartenait à une bonne famille dont la noblesse n'était pas d'ailleurs très ancienne ; mais il y a si peu d'anciennes familles aujourd'hui, que tous les jeunes gens sont anciens sans conteste. Son aïeul avait acheté une charge de conseiller au Parlement de Paris, où il était devenu président. Ses fils, pourvus chacun d'une belle fortune, entrèrent au service, et, par leurs alliances, arrivèrent à la cour. La révolution avait balayé cette famille ; mais il en était resté une vieille douairière entêtée qui n'avait pas voulu émigrer ; qui, mise en prison, menacée de mourir et sauvée au 9 thermidor, retrouva ses biens. Elle fit revenir en temps utile, vers 1804, son petit-fils Auguste de Maulincour, l'unique rejeton des Charbonnon de Maulincour, qui fut élevé par la

bonne douairière avec un triple soin de mère, de
femme noble et de douairière entêtée. Puis, quand
vint la Restauration, le jeune homme, alors âgé de
dix-huit ans, entra dans la Maison-Rouge[1], suivit les
princes à Gand, fut fait officier dans les Gardes-du-
corps, en sortit pour servir dans la Ligne, fut rappelé
dans la Garde royale, où il se trouvait alors, à vingt-
trois ans, chef d'escadron d'un régiment de cavalerie, position superbe, et due à sa grand-mère, qui,
malgré son âge, savait très bien son monde. Cette
double biographie est le résumé de l'histoire générale et particulière, sauf les variantes, de toutes les
familles qui ont émigré, qui avaient des dettes et
des biens, des douairières et de l'entregent. Mme la
baronne de Maulincour avait pour ami le vieux
vidame[2] de Pamiers, ancien commandeur de l'ordre
de Malte. C'était une de ces amitiés éternelles fon-
dées sur des liens sexagénaires, et que rien ne peut
plus tuer, parce que au fond de ces liaisons il y a
toujours des secrets de cœur humain, admirables
à deviner quand on en a le temps, mais insipides à
expliquer en vingt lignes, et qui feraient le texte
d'un ouvrage en quatre volumes, amusant comme
peut l'être *Le Doyen de Killerine*[3], une de ces

1. Corps de gendarmes de la maison du Roi qui portaient un uni-
forme rouge.
2. Représentant d'un évêché pour la défense de ses intérêts temporels.
3. Roman inachevé de l'abbé Prévost, dont les six premiers tomes
furent publiés entre 1735 et 1740. L'œuvre romanesque de l'abbé Prévost, massive et complexe ne va pas sans présenter quelques analogies
avec *La Comédie humaine*.

œuvres dont parlent les jeunes gens, et qu'ils jugent sans les avoir lues. Auguste de Maulincour tenait donc au faubourg Saint-Germain par sa grand-mère et par le vidame, et il lui suffisait de dater de deux siècles pour prendre les airs et les opinions de ceux qui prétendent remonter à Clovis. Ce jeune homme pâle, long et fluet, délicat en apparence, homme d'honneur et de vrai courage d'ailleurs, qui se battait en duel sans hésiter pour un oui, pour un non, ne s'était encore trouvé sur aucun champ de bataille, et portait à sa boutonnière la croix de la Légion d'honneur. C'était, vous le voyez, une des fautes vivantes de la Restauration, peut-être la plus pardonnable. La jeunesse de ce temps n'a été la jeunesse d'aucune époque : elle s'est rencontrée entre les souvenirs de l'Empire et les souvenirs de l'Émigration, entre les vieilles traditions de la cour et les études consciencieuses de la bourgeoisie, entre la religion et les bals costumés, entre deux Fois politiques, entre Louis XVIII qui ne voyait que le présent, et Charles X qui voyait trop en avant; puis, obligée de respecter la volonté du Roi quoique la royauté se trompât. Cette jeunesse incertaine en tout, aveugle et clairvoyante, ne fut comptée pour rien par des vieillards jaloux de garder les rênes de l'État dans leurs mains débiles, tandis que la monarchie pouvait être sauvée par leur retraite, et par l'accès de cette jeune France de laquelle aujourd'hui les vieux doctrinaires, ces émigrés de la Restauration, se moquent encore. Auguste de Mau-

lincour était une victime des idées qui pesaient alors
sur cette jeunesse, et voici comment. Le vidame
était encore, à soixante-sept ans, un homme très spirituel, ayant beaucoup vu, beaucoup vécu, contant
bien, homme d'honneur, galant homme, mais qui
avait, à l'endroit des femmes, les opinions les plus
détestables : il les aimait et les méprisait. Leur honneur, leurs sentiments ? Tarare[1], bagatelles et mome-
ries ! Près d'elles, il croyait en elles, le ci-devant
monstre, il ne les contredisait jamais, et les faisait
valoir. Mais, entre amis, quand il en était question, le vidame posait en principe que tromper les
femmes, mener plusieurs intrigues de front, devait
être toute l'occupation des jeunes gens, qui se four-
voyaient en voulant se mêler d'autre chose dans
l'État. Il est fâcheux d'avoir à esquisser un portrait
si suranné. N'a-t-il pas figuré partout ? et littéraire-
ment, n'est-il pas presque aussi usé que celui d'un
grenadier de l'Empire ? Mais le vidame eut sur la
destinée de M. de Maulincour une influence qu'il
était nécessaire de consacrer ; il le moralisait à sa
manière, et voulait le convertir aux doctrines du
grand siècle de la galanterie. La douairière, femme
tendre et pieuse, assise entre son vidame et Dieu,
modèle de grâce et de douceur, mais douée d'une
persistance de bon goût qui triomphe de tout à
la longue, avait voulu conserver à son petit-fils
les belles illusions de la vie, et l'avait élevé dans les

1. Interjection familière qui signifiait le dédain, l'ironie, le doute.

meilleurs principes ; elle lui donna toutes ses délicatesses, et en fit un homme timide, un vrai sot en
apparence. La sensibilité de ce garçon, conservée
pure, ne s'usa point au-dehors, et lui resta si pudique,
si chatouilleuse, qu'il était vivement offensé par des
actions et des maximes auxquelles le monde n'attachait aucune importance. Honteux de sa susceptibi-
lité, le jeune homme la cachait sous une assurance
menteuse, et souffrait en silence ; mais il se moquait,
avec les autres, de choses que seul il admirait. Aussi
fut-il trompé, parce que, suivant un caprice assez
commun de la destinée, il rencontra dans l'objet de
sa première passion, lui, homme de douce mélancolie et spiritualiste en amour, une femme qui avait
pris en horreur la sensiblerie allemande[1]. Le jeune
homme douta de lui, devint rêveur, et se roula dans
ses chagrins, en se plaignant de ne pas être compris. Puis, comme nous désirons d'autant plus violemment les choses qu'il nous est plus difficile
de les avoir, il continua d'adorer les femmes avec
cette ingénieuse tendresse et ces félines délicatesses
dont le secret leur appartient et dont peut-être veu-
lent-elles garder le monopole. En effet, quoique
les femmes se plaignent d'être mal aimées par les
hommes, elles ont néanmoins peu de goût pour ceux
dont l'âme est à demi féminine. Toute leur supériorité consiste à faire croire aux hommes qu'ils leur

1. On appelait alors « amour allemand » un amour platonique qui ne
se fondait que sur les sentiments. On verra plus loin que cette femme est
la comtesse de Sérizy, sœur du marquis de Ronquerolles.

sont inférieurs en amour ; aussi quittent-elles assez
volontiers un amant, quand il est assez inexpéri-
menté pour leur ravir les craintes dont elles veulent
se parer, ces délicieux tourments de la jalousie à
faux, ces troubles de l'espoir trompé, ces vaines
attentes, enfin tout le cortège de leurs bonnes
misères de femme ; elles ont en horreur les Grandisson[1]. Qu'y a-t-il de plus contraire à leur nature
qu'un amour tranquille et parfait ? Elles veulent des
émotions, et le bonheur sans orages n'est plus le
bonheur pour elles. Les âmes féminines assez puissantes pour mettre l'infini dans l'amour constituent
d'angéliques exceptions, et sont parmi les femmes
ce que sont les beaux génies parmi les hommes.
Les grandes passions sont rares comme les chefs-
d'œuvre. Hors cet amour, il n'y a que des arran-
gements, des irritations passagères, méprisables,
comme tout ce qui est petit.

Au milieu des secrets désastres de son cœur,
pendant qu'il cherchait une femme par laquelle il
pût être compris, recherche qui, pour le dire en passant, est la grande folie amoureuse de notre époque,
Auguste rencontra dans le monde le plus éloigné du
sien, dans la seconde sphère du monde d'argent où
la haute banque tient le premier rang, une créature
parfaite, une de ces femmes qui ont je ne sais quoi
de saint et de sacré, qui inspirent tant de respect,

---

1. *Sir Charles Grandisson*, roman de Samuel Richardson (1689-
1761), publié en 1754 et traduit en français par l'abbé Prévost, dont le
héros est l'archétype de la vertu.

que l'amour a besoin de tous les secours d'une longue familiarité pour se déclarer. Auguste se livra donc tout entier aux délices de la plus touchante et de la plus profonde des passions, à un amour purement admiratif. Ce fut d'innombrables désirs réprimés, nuances de passion si vagues et si profondes, si fugitives et si frappantes, qu'on ne sait à quoi les comparer; elles ressemblent à des parfums, à des nuages, à des rayons de soleil, à des ombres, à tout ce qui, dans la nature, peut en un moment briller et disparaître, se raviver et mourir, en laissant au cœur de longues émotions. Dans le moment où l'âme est encore assez jeune pour concevoir la mélancolie, les lointaines espérances, et sait trouver dans la femme plus qu'une femme, n'est-ce pas le plus grand bonheur qui puisse échoir à un homme que d'aimer assez pour ressentir plus de joie à toucher un gant blanc, à effleurer des cheveux, à écouter une phrase, à jeter un regard, que la possession la plus fougueuse n'en donne à l'amour heureux? Aussi, les gens rebutés, les laides, les malheureux, les amants inconnus, les femmes ou les hommes timides, connaissent-ils seuls les trésors que renferme la voix de la personne aimée. En prenant leur source et leur principe dans l'âme même, les vibrations de l'air chargé de feu mettent si violemment les cœurs en rapport, y portent si lucidement la pensée, et sont si peu menteuses, qu'une seule inflexion est souvent tout un dénouement. Combien d'enchantements ne prodigue pas au cœur d'un poète le

timbre harmonieux d'une voix douce ! combien
d'idées elle y réveille ! quelle fraîcheur elle y
répand ! L'amour est dans la voix avant d'être avoué
par le regard. Auguste, poète à la manière des
amants (il y a les poètes qui sentent et les poètes
qui expriment, les premiers sont les plus heureux),
Auguste avait savouré toutes ces joies premières, si
larges, si fécondes. *Elle* possédait le plus flatteur
organe que la femme la plus artificieuse ait jamais
souhaité pour pouvoir tromper à son aise ; elle avait
cette voix d'argent, qui douce à l'oreille, n'est éclatante que pour le cœur qu'elle trouble et remue,
qu'elle caresse en le bouleversant. Et cette femme
allait le soir rue Soly, près la rue Pagevin ; et sa furtive apparition dans une infâme maison venait de
briser la plus magnifique des passions ! La logique
du vidame triompha.

« Si elle trahit son mari, nous nous vengerons »,
dit Auguste.

Il y avait encore de l'amour dans le si... Le doute
philosophique de Descartes est une politesse par
laquelle il faut toujours honorer la vertu. Dix heures
sonnèrent. En ce moment le baron de Maulincour se
rappela que cette femme devait aller au bal dans une
maison où il avait accès. Sur-le-champ il s'habilla,
partit, arriva, *la* chercha d'un air sournois dans les
salons. Mme de Nucingen, le voyant si affairé, lui
dit : « Vous ne voyez pas Mme Jules, mais elle n'est
pas encore venue.

— Bonjour, ma chère », dit une voix.

Auguste et Mme de Nucingen se retournent. Mme Jules arrivait vêtue de blanc, simple et noble, coiffée précisément avec les marabouts que le jeune baron lui avait vu choisir dans le magasin de fleurs. Cette voix d'amour perça le cœur d'Auguste. S'il avait su conquérir le moindre droit qui lui permît d'être jaloux de cette femme, il aurait pu la pétrifier en lui disant : « Rue Soly ! » Mais quand lui, étranger, eût mille fois répété ce mot à l'oreille de Mme Jules, elle lui aurait avec étonnement demandé ce qu'il voulait dire : il la regarda d'un air stupide.

Pour les gens méchants et qui rient de tout, c'est peut-être un grand amusement que de connaître le secret d'une femme, de savoir que sa chasteté ment, que sa figure calme cache une pensée profonde, qu'il y a quelque épouvantable drame sous son front pur. Mais il y a certaines âmes qu'un tel spectacle contriste réellement, et beaucoup de ceux qui en rient, rentrés chez eux, seuls avec leur conscience, maudissent le monde et méprisent une telle femme. Tel se trouvait Auguste de Maulincour en présence de Mme Jules. Situation bizarre ! Il n'existait pas entre eux d'autres rapports que ceux qui s'établissent dans le monde entre gens qui échangent quelques mots sept ou huit fois par hiver, et il lui demandait compte d'un bonheur ignoré d'elle, il la jugeait sans lui faire connaître l'accusation.

Beaucoup de jeunes gens se sont trouvés ainsi, rentrant chez eux, désespérés d'avoir rompu pour toujours avec une femme adorée en secret ; condamnée, méprisée en secret. C'est des monologues inconnus, dits aux murs d'un réduit solitaire, des orages nés et calmés sans être sortis du fond des cœurs, d'admirables scènes du monde moral, auxquelles il faudrait un peintre. Mme Jules alla s'asseoir, en quittant son mari qui fit le tour du salon. Quand elle fut assise, elle se trouva comme gênée, et, tout en causant avec sa voisine, elle jetait furtivement un regard sur M. Jules Desmarets, son mari, l'agent de change du baron de Nucingen. Voici l'histoire de ce ménage.

M. Desmarets était, cinq ans avant son mariage, placé chez un agent de change, et n'avait alors pour toute fortune que les maigres appointements d'un commis. Mais c'était un de ces hommes auxquels le malheur apprend hâtivement les choses de la vie, et qui suivent la ligne droite avec la ténacité d'un insecte voulant arriver à son gîte ; un de ces jeunes gens têtus qui font les morts devant les obstacles et lassent toutes les patiences par une patience de cloporte. Ainsi, jeune, il avait toutes les vertus républicaines des peuples pauvres : il était sobre, avare de son temps, ennemi des plaisirs. Il attendait. La nature lui avait d'ailleurs donné les immenses avantages d'un extérieur agréable. Son front calme et pur ; la coupe de sa figure placide, mais expressive ; ses manières simples, tout en lui révélait une existence laborieuse et résignée, cette haute dignité personnelle qui impose, et cette secrète noblesse de cœur qui résiste à toutes les situations. Sa modestie inspirait une sorte de respect à tous ceux qui le connaissaient. Solitaire d'ailleurs au milieu de Paris, il ne voyait le monde que par échappées, pendant le peu de moments qu'il passait dans le salon de son patron, les jours de fête. Il y avait chez ce jeune homme, comme chez la plupart des gens qui vivent ainsi, des passions d'une étonnante profondeur; passions trop vastes pour se compromettre jamais dans de petits incidents. Son peu de fortune l'obligeait à une vie austère, et il domptait ses fantaisies par de grands travaux. Après avoir pâli sur les chiffres, il se délassait en essayant avec obstination d'acquérir cet ensemble de connaissances, aujourd'hui nécessaires à tout homme qui veut se faire remarquer dans le monde, dans le Commerce, au Barreau, dans la Politique ou dans les Lettres. Le seul écueil que rencontrent ces belles âmes est leur probité même. Voient-ils une pauvre fille, ils s'en amourachent, l'épousent, et usent leur existence à se débattre entre la misère et l'amour. La plus belle ambition s'éteint dans le livre de dépense du ménage. Jules Desmarets donna pleinement dans cet écueil. Un soir, il vit chez son patron une jeune personne de la plus rare beauté. Les malheureux privés d'affection, et qui consument les belles heures de la jeunesse en de longs travaux, ont seuls le secret des rapides ravages que fait une passion dans leurs cœurs désertés, méconnus. Ils sont si certains de bien aimer, toutes leurs forces se concentrent si promptement sur la femme de laquelle ils

s'éprennent, que, près d'elle, ils reçoivent de déli-
cieuses sensations en n'en donnant souvent aucune.
C'est le plus flatteur de tous les égoïsmes pour la
femme qui sait deviner cette apparente immobilité
de la passion et ces atteintes si profondes qu'il leur
faut quelque temps pour reparaître à la surface
humaine. Ces pauvres gens, anachorètes au sein de
Paris, ont toutes les jouissances des anachorètes, et
peuvent parfois succomber à leurs tentations ; mais
plus souvent trompés, trahis, mésentendus, il leur
est rarement permis de recueillir les doux fruits de
cet amour qui, pour eux, est toujours comme une
fleur tombée du ciel. Un sourire de sa femme,
une seule inflexion de voix suffirent à Jules Desmarets pour concevoir une passion sans bornes.
Heureusement, le feu concentré de cette passion
secrète se révéla naïvement à celle qui l'inspirait.
Ces deux êtres s'aimèrent alors religieusement.
Pour tout exprimer en un mot, ils se prirent sans
honte tous deux par la main, au milieu du monde,
comme deux enfants, frère et sœur, qui veulent tra-
verser une foule où chacun leur fait place en les
admirant. La jeune personne était dans une de ces
circonstances affreuses où l'égoïsme a placé certains enfants. Elle n'avait pas d'état civil, et son
nom de *Clémence*[1], son âge furent constatés par un
acte de notoriété publique. Quant à sa fortune,

---

1. C'est le premier prénom de Mme de Castries que Balzac rencontre
en février 1832. Elle ne cédera jamais aux avances de Balzac et lui in-
spirera, par dépit, *La Duchesse de Langeais*.

c'était peu de chose. Jules Desmarets fut l'homme
le plus heureux en apprenant ces malheurs. Si Clémence eût appartenu à quelque famille opulente, il
aurait désespéré de l'obtenir ; mais elle était une
pauvre enfant de l'amour, le fruit de quelque terrible passion adultérine : ils s'épousèrent. Là, com-
mença pour Jules Desmarets une série d'événements
heureux. Chacun envia son bonheur, et ses jaloux
l'accusèrent dès lors de n'avoir que du bonheur,
sans faire la part à ses vertus ni à son courage.
Quelques jours après le mariage de sa fille, la mère
de Clémence, qui, dans le monde, passait pour
en être la marraine, dit à Jules Desmarets d'acheter une charge d'agent de change, en promettant
de lui procurer tous les capitaux nécessaires. En
ce moment, ces Charges étaient encore à un prix
modéré. Le soir, dans le salon même de son agent
de change, un riche capitaliste proposa, sur la
recommandation de cette dame, à Jules Desmarets,
le plus avantageux marché qu'il fût possible de
conclure, lui donna autant de fonds qu'il lui en fallait pour exploiter son privilège, et le lendemain
l'heureux commis avait acheté la charge de son
patron. En quatre ans, Jules Desmarets était devenu
l'un des plus riches particuliers de sa compagnie ;
des clients considérables vinrent augmenter le
nombre de ceux que lui avait légués son prédéces-
seur. Il inspirait une confiance sans bornes, et il lui
était impossible de méconnaître, dans la manière
dont les affaires se présentaient à lui, quelque

influence occulte due à sa belle-mère ou à une protection secrète qu'il attribuait à la Providence. Au
bout de la troisième année, Clémence perdit sa
marraine. En ce moment, M. Jules, que l'on nom-
mait ainsi pour le distinguer de son frère aîné, qu'il
avait établi notaire à Paris, possédait environ deux
cent mille livres de rente. Il n'existait pas dans
Paris un second exemple du bonheur dont jouissait
ce ménage. Depuis cinq ans cet amour exceptionnel n'avait été troublé que par une calomnie dont
M. Jules tira la plus éclatante vengeance. Un de ses
anciens camarades attribuait à Mme Jules la fortune
de son mari, qu'il expliquait par une haute protection chèrement achetée. Le calomniateur fut tué
en duel. La passion profonde des deux époux l'un
pour l'autre, et qui résistait au mariage, obtenait
dans le monde le plus grand succès, quoiqu'elle
contrariât plusieurs femmes. Le joli ménage était
respecté, chacun le fêtait. L'on aimait sincèrement
M. et Mme Jules, peut-être parce qu'il n'y a rien de
plus doux à voir que des gens heureux ; mais ils ne
restaient jamais longtemps dans les salons, et s'en
sauvaient impatients de gagner leur nid à tire-d'aile
comme deux colombes égarées. Ce nid était d'ailleurs un grand et bel hôtel de la rue de Ménars, où
le sentiment des arts tempérait ce luxe que la gent
financière continue à étaler traditionnellement, et
où les deux époux recevaient magnifiquement,
quoique les obligations du monde leur convinssent
peu. Néanmoins, Jules subissait le monde, sachant

que, tôt ou tard, une famille en a besoin; mais sa femme et lui s'y trouvaient toujours comme des plantes de serre au milieu d'un orage. Par une délicatesse bien naturelle, Jules avait caché soigneusement à sa femme et la calomnie et la mort du calomniateur qui avait failli troubler leur félicité. Mme Jules était portée, par sa nature artiste et délicate, à aimer le luxe. Malgré la terrible leçon du duel, quelques femmes imprudentes se disaient à l'oreille que Mme Jules devait se trouver souvent gênée. Les vingt mille francs que lui accordait son mari pour sa toilette et pour ses fantaisies ne pouvaient pas, suivant leurs calculs, suffire à ses dépenses. En effet, on la trouvait souvent bien plus élégante, chez elle, qu'elle ne l'était pour aller dans le monde. Elle aimait à ne se parer que pour son mari, voulant lui prouver ainsi que, pour elle, il était plus que le monde. Amour vrai, amour pur, heureux surtout, autant que le peut être un amour publiquement clandestin. Aussi M. Jules, toujours amant, plus amoureux chaque jour, heureux de tout près de sa femme, même de ses caprices, était-il inquiet de ne pas lui en voir, comme si c'eût été le symptôme de quelque maladie. Auguste de Maulincour avait eu le malheur de se heurter contre cette passion, et de s'éprendre de cette femme à en perdre la tête. Cependant, quoiqu'il portât en son cœur un amour si sublime, il n'était pas ridicule. Il se laissait aller à toutes les exigences des mœurs militaires; mais il avait constamment, même en

buvant un verre de vin de Champagne, cet air
rêveur, ce silencieux dédain de l'existence, cette
figure nébuleuse qu'ont, à divers titres, les gens
blasés, les gens peu satisfaits d'une vie creuse, et
ceux qui se croient poitrinaires ou se gratifient
d'une maladie au cœur. Aimer sans espoir, être
dégoûté de la vie, constituent aujourd'hui des positions sociales. Or, la tentative de violer le cœur
d'une souveraine donnerait peut-être plus d'espérances qu'un amour follement conçu pour une
femme heureuse. Aussi Maulincour avait-il des raisons suffisantes pour rester grave et morne. Une
reine a encore la vanité de sa puissance, elle a
contre elle son élévation; mais une bourgeoise reli-
gieuse est comme un hérisson, comme une huître
dans leurs rudes enveloppes.

En ce moment, le jeune officier se trouvait près
de sa maîtresse anonyme, qui ne savait certes pas
être doublement infidèle. Mme Jules était là, naïvement posée, comme la femme la moins artificieuse
du monde, douce, pleine d'une sérénité majes-
tueuse. Quel abîme est donc la nature humaine ?
Avant d'entamer la conversation, le baron regardait
alternativement et cette femme et son mari. Que
de réflexions ne fit-il pas ? Il recomposa toutes les
Nuits d'Young[1] en un moment. Cependant la musique
retentissait dans les appartements, la lumière y était

1. Edward Young, poète anglais (1681-1765). Ayant perdu sa femme
et sa belle-fille, il s'enferma dans une solitude complète et composa ce
long poème de douleur.

versée par mille bougies, c'était un bal de banquier, une de ces fêtes insolentes par lesquelles ce monde d'or mat essayait de narguer les salons d'or moulu où riait la bonne compagnie du faubourg Saint-Germain, sans prévoir qu'un jour la Banque envahirait le Luxembourg[1] et s'assiérait sur le trône. Les conspirations dansaient alors, aussi insouciantes des futures faillites du pouvoir que des futures faillites de la Banque. Les salons dorés de M. le baron de Nucingen avaient cette animation particulière que le monde de Paris, joyeux en apparence du moins, donne aux fêtes de Paris. Là, les hommes de talent communiquent aux sots leur esprit, et les sots leur communiquent cet air heureux qui les caractérise. Par cet échange, tout s'anime. Mais une fête de Paris ressemble toujours un peu à un feu d'artifice : esprit, coquetterie, plaisir, tout y brille et s'y éteint comme des fusées. Le lendemain, chacun a oublié son esprit, ses coquetteries et son plaisir.

« Eh quoi ! se dit Auguste en forme de conclusion, les femmes sont donc telles que le vidame les voit ? Certes, toutes celles qui dansent ici sont moins irréprochables que ne le paraît Mme Jules, et Mme Jules va rue Soly. » La rue Soly était sa maladie, le mot seul lui crispait le cœur.

« Madame, vous ne dansez donc jamais ? lui demanda-t-il.

— Voici la troisième fois que vous me faites

---

1. Louis XVIII avait établi au Luxembourg la Chambre des Pairs.

cette question depuis le commencement de l'hiver, dit-elle en souriant.

— Mais vous ne m'avez peut-être jamais répondu.

— Cela est vrai.

— Je savais bien que vous étiez fausse, comme le sont toutes les femmes. »

Et Mme Jules continua de rire.

« Écoutez, monsieur, si je vous disais la véritable raison, elle vous paraîtrait ridicule. Je ne pense pas qu'il y ait fausseté à ne pas dire des secrets dont le monde a l'habitude de se moquer.

— Tout secret veut, pour être dit, une amitié de laquelle je ne suis sans doute pas digne, madame. Mais vous ne sauriez avoir que de nobles secrets, et me croyez-vous donc capable de plaisanter sur des choses respectables ?

— Oui, dit-elle, vous, comme tous les autres, vous riez de nos sentiments les plus purs ; vous les calomniez. D'ailleurs, je n'ai pas de secrets. J'ai le droit d'aimer mon mari à la face du monde, je le dis, j'en suis orgueilleuse ; et si vous vous moquez de moi en apprenant que je ne danse qu'avec lui, j'aurai la plus mauvaise opinion de votre cœur.

— Vous n'avez jamais dansé, depuis votre mariage, qu'avec votre mari ?

— Oui, monsieur. Son bras est le seul sur lequel je me sois appuyée, et je n'ai jamais senti le contact d'aucun autre homme.

— Votre médecin ne vous a pas même tâté le pouls ?…

— Eh bien, voilà que vous vous moquez.

— Non, madame, je vous admire parce que je vous comprends. Mais vous laissez entendre votre voix, mais vous vous laissez voir, mais… enfin, vous permettez à nos yeux d'admirer…

— Ah ! voilà mes chagrins, dit-elle en l'interrompant. Oui, j'aurais voulu qu'il fût possible à une femme mariée de vivre avec son mari comme une maîtresse vit avec son amant : car alors…

— Alors, pourquoi étiez-vous, il y a deux heures, à pied, déguisée, rue Soly ?

— Qu'est-ce que c'est que la rue Soly ? » lui demanda-t-elle.

Et sa voix si pure ne laissa deviner aucune émotion, et aucun trait ne vacilla dans son visage, et elle ne rougit pas, et elle resta calme.

« Quoi ! vous n'êtes pas montée au second étage d'une maison située rue des Vieux-Augustins, au coin de la rue Soly ? Vous n'aviez pas un fiacre à dix pas, et vous n'êtes pas revenue rue de Richelieu, chez la fleuriste, où vous avez choisi les marabouts qui parent maintenant votre tête ?

— Je ne suis pas sortie de chez moi ce soir. »

En mentant ainsi, elle était impassible et rieuse, elle s'éventait ; mais qui eût eu le droit de passer la main sur sa ceinture, au milieu du dos, l'aurait peut-être trouvée humide. En ce moment, Auguste se souvint des leçons du vidame.

«C'était alors une personne qui vous ressemble étrangement, ajouta-t-il d'un air crédule.

— Monsieur, dit-elle, si vous êtes capable de suivre une femme et de surprendre ses secrets, vous me permettrez de vous dire que cela est mal, très mal, et je vous fais l'honneur de ne pas vous croire.»

Le baron s'en alla, se plaça devant la cheminée, et parut pensif. Il baissa la tête ; mais son regard était attaché sournoisement sur Mme Jules, qui, ne pensant pas au jeu des glaces, jeta sur lui deux ou trois coups d'œil empreints de terreur. Mme Jules fit un signe à son mari, elle en prit le bras en se levant pour se promener dans les salons. Quand elle passa près de M. de Maulincour, celui-ci, qui causait avec un de ses amis, dit à haute voix, comme s'il répondait à une interrogation : «C'est une femme qui ne dormira certes pas tranquillement cette nuit…» Mme Jules s'arrêta, lui lança un regard imposant plein de mépris, et continua sa marche, sans savoir qu'un regard de plus, s'il était surpris par son mari, pouvait mettre en question et son bonheur et la vie de deux hommes. Auguste, en proie à la rage qu'il étouffa dans les profondeurs de son âme, sortit bientôt en jurant de pénétrer jusqu'au cœur de cette intrigue. Avant de partir, il chercha Mme Jules afin de la revoir encore ; mais elle avait disparu. Quel drame jeté dans cette jeune tête éminemment romanesque comme toutes celles qui n'ont point connu l'amour dans toute l'étendue qu'ils lui donnent !

Il adorait Mme Jules sous une nouvelle forme, il l'aimait avec la rage de la jalousie, avec les délirantes angoisses de l'espoir. Infidèle à son mari, cette femme devenait vulgaire. Auguste pouvait se livrer à toutes les félicités de l'amour heureux, et son imagination lui ouvrit alors l'immense carrière des plaisirs de la possession. Enfin, s'il avait perdu l'ange, il retrouvait le plus délicieux des démons. Il se coucha, faisant mille châteaux en Espagne, justifiant Mme Jules par quelque romanesque bienfait auquel il ne croyait pas. Puis il résolut de se vouer entièrement, dès le lendemain, à la recherche des causes, des intérêts, du nœud que cachait ce mystère. C'était un roman à lire ; ou mieux, un drame à jouer, et dans lequel il avait son rôle.

Auguste — un homme
militaire . parce qu'il
idea for D.70   est tombée à l'amar
            — et il veut &
      ⊹ perer le secret . ⊹ ↑
la chasse.
  la mystère.   espionner
                                  s-stalker,
make it a true   spy.
      mystery.   SP 7
what down first monster secret SP 7
make it a real, mystery.
et, even singular in wave, that's 11 years.

CHAPITRE II

FERRAGUS

Une bien belle chose est le métier d'espion,
quand on le fait pour son compte et au profit d'une
passion. N'est-ce pas se donner les plaisirs du
voleur en restant honnête homme ? Mais il faut se
résigner à bouillir de colère, à rugir d'impatience, à
se glacer les pieds dans la boue, à transir et brûler, à
dévorer de fausses espérances. Il faut aller, sur la foi
d'une indication, vers un but ignoré, manquer son
coup, pester, s'improviser à soi-même des élégies,
des dithyrambes, s'exclamer niaisement devant un
passant inoffensif qui vous admire ; puis renverser
des bonnes femmes et leurs paniers de pommes,
courir, se reposer, rester devant une croisée, faire
mille suppositions... Mais c'est la chasse, la chasse
dans Paris, la chasse avec tous ses accidents, moins
les chiens, le fusil et le taïaut ! Il n'est de compa-
rable à ces scènes que celles de la vie des joueurs.
Puis besoin est d'un cœur gros d'amour ou de vengeance pour s'embusquer dans Paris, comme un
tigre qui veut sauter sur sa proie, et pour jouir alors
de tous les accidents de Paris et d'un quartier, en

leur prêtant un intérêt de plus que celui dont ils abondent déjà. Alors, ne faut-il pas avoir une âme multiple ? n'est-ce pas vivre de mille passions, de mille sentiments ensemble ?

Auguste de Maulincour se jeta dans cette ardente existence avec amour, parce qu'il en ressentit tous les malheurs et tous les plaisirs. Il allait déguisé, dans Paris, veillait à tous les coins de la rue Pagevin ou de la rue des Vieux-Augustins. Il courait comme un chasseur de la rue de Ménars à la rue Soly, de la rue Soly à la rue de Ménars, sans connaître ni la vengeance, ni le prix dont seraient ou punis ou récompensés tant de soins, de démarches et de ruses ! Et, cependant, il n'en était pas encore arrivé à cette impatience qui tord les entrailles et fait suer ; il flânait avec espoir, en pensant que Mme Jules ne se hasarderait pas pendant les premiers jours à retourner là où elle avait été surprise. Aussi avait-il consacré ces premiers jours à s'initier à tous les secrets de la rue. Novice en ce métier, il n'osait questionner ni le portier, ni le cordonnier de la maison dans laquelle venait Mme Jules ; mais il espérait pouvoir se créer un observatoire dans la maison située en face de l'appartement mystérieux. Il étudiait le terrain, il voulait concilier la prudence et l'impatience, son amour et le secret.

Dans les premiers jours du mois de mars, au milieu des plans qu'il méditait pour frapper un grand coup, et en quittant son échiquier après une de ces factions assidues qui ne lui avaient encore rien appris, il s'en

retournait vers quatre heures à son hôtel où l'appelait une affaire relative à son service, lorsqu'il fut
pris, rue Coquillière, par une de ces belles pluies qui
grossissent tout à coup les ruisseaux, et dont chaque
goutte fait cloche en tombant sur les flaques d'eau
de la voie publique. Un fantassin de Paris est alors
obligé de s'arrêter tout court, de se réfugier dans une
boutique ou dans un café, s'il est assez riche pour y
payer son hospitalité forcée ; ou, selon l'urgence,
sous une porte cochère, asile des gens pauvres ou
mal mis. Comment aucun de nos peintres n'a-t-il
pas encore essayé de reproduire la physionomie
d'un essaim de Parisiens groupés, par un temps
d'orage, sous le porche humide d'une maison ? Où
rencontrer un plus riche tableau ? N'y a-t-il pas
d'abord le piéton rêveur ou philosophe qui observe
avec plaisir, soit les raies faites par la pluie sur le
fond grisâtre de l'atmosphère, espèce de ciselures
semblables aux jets capricieux des filets de verre ;
soit les tourbillons d'eau blanche que le vent roule
en poussière lumineuse sur les toits ; soit les capricieux dégorgements des tuyaux pétillants, écumeux ;
enfin mille autres riens admirables, étudiés avec
délices par les flâneurs, malgré les coups de balai
dont les régale le maître de la loge ? Puis il y a le piéton causeur qui se plaint et converse avec la portière,
quand elle se pose sur son balai comme un grenadier
sur son fusil ; le piéton indigent, fantastiquement
collé sur le mur, sans nul souci de ses haillons habitués au contact des rues ; le piéton savant qui étudie,

épelle ou lit les affiches sans les achever; le piéton
rieur qui se moque des gens auxquels il arrive malheur dans la rue, qui rit des femmes crottées et fait
des mines à ceux ou celles qui sont aux fenêtres; le
piéton silencieux qui regarde à toutes les croisées, à
tous les étages; le piéton industriel, armé d'une
sacoche ou muni d'un paquet, traduisant la pluie par
profits et pertes; le piéton aimable, qui arrive comme
un obus, en disant : « Ah ! quel temps, messieurs ! » et
qui salue tout le monde; enfin, le vrai bourgeois de
Paris, homme à parapluie, expert en averse, qui l'a
prévue, sorti malgré l'avis de sa femme, et qui s'est
assis sur la chaise du portier. Selon son caractère,
chaque membre de cette société fortuite contemple le
ciel, s'en va sautillant pour ne pas se crotter, ou parce
qu'il est pressé, ou parce qu'il voit des citoyens marchant malgré vent et marée, ou parce que la cour de
la maison étant humide et catarrhalement mortelle,
la lisière, dit un proverbe, est pire que le drap. Chacun
a ses motifs. Il ne reste que le piéton prudent,
l'homme qui, pour se remettre en route, épie quelques
espaces bleus à travers les nuages crevassés.

M. de Maulincour se réfugia donc, avec toute
une famille de piétons, sous le porche d'une vieille
maison dont la cour ressemblait à un grand tuyau
de cheminée. Il y avait le long de ces murs plâ-
treux, salpêtrés et verdâtres, tant de plombs[1] et de

---

1. On appelait plombs des cuvettes (de plomb, de zinc ou d'autre
métal) fixées au mur de chaque étage pour recueillir et faire écouler les
eaux ménagères.

porte, pluie, la Lettre.
rencontre Ferragus - la Lettre.

conduits, et tant d'étages dans les quatre corps de
logis, que vous eussiez dit les cascatelles de Saint-
Cloud[1]. L'eau ruisselait de toutes parts; elle bouil-
lonnait, elle sautillait, murmurait; elle était noire,
blanche, bleue, verte; elle criait, elle foisonnait
sous le balai de la portière, vieille femme éden-
tée, faite aux orages, qui semble les bénir et qui
poussait dans la rue mille débris dont l'inventaire
curieux révélait la vie et les habitudes de chaque
locataire de la maison. C'était des découpures d'indienne, des feuilles de thé, des pétales de fleurs
artificielles, décolorées, manquées; des épluchures
de légumes, des papiers, des fragments de métal.
À chaque coup de balai, la vieille femme mettait à
nu l'âme du ruisseau, cette fente noire, découpée
en cases de damier, après laquelle s'acharnent les
portiers. Le pauvre amant examinait ce tableau,
l'un des milliers que le mouvant Paris offre chaque
jour; mais il l'examinait machinalement, en homme
absorbé par ses pensées, lorsqu'en levant les yeux
il se trouva nez à nez avec un homme qui venait
d'entrer.

C'était, en apparence du moins, un mendiant,
mais non pas le mendiant de Paris, création sans
nom dans les langages humains; non, cet homme
formait un type nouveau frappé en dehors de toutes
les idées réveillées par le mot de mendiant. L'in-

---

1. De petites cascades artificielles avaient été aménagées près du
château de Saint-Cloud.

connu ne se distinguait point par ce caractère origi-
nalement parisien qui nous saisit assez souvent
dans les malheureux que Charlet a représentés parfois, avec un rare bonheur d'observation : c'est de
grossières figures roulées dans la boue, à la voix
rauque, au nez rougi et bulbeux, à bouches dépour-
vues de dents, quoique menaçantes ; humbles et
terribles, chez lesquelles l'intelligence profonde
qui brille dans les yeux semble être un contresens.
Quelques-uns de ces vagabonds effrontés ont le
teint marbré, gercé, veiné ; le front couvert de rugo-
sités ; les cheveux rares et sales, comme ceux d'une
perruque jetée au coin d'une borne. Tous gais
dans leur dégradation, et dégradés dans leurs joies,
tous marqués du sceau de la débauche jettent leur
silence comme un reproche ; leur attitude révèle
d'effrayantes pensées. Placés entre le crime et l'aumône, ils n'ont plus de remords, et tournent pru-
demment autour de l'échafaud sans y tomber,
innocents au milieu du vice, et vicieux au milieu de
leur innocence. Ils font souvent sourire, mais font
toujours penser. L'un vous représente la civilisation
rabougrie, il comprend tout : l'honneur du bagne, la
patrie, la vertu ; puis c'est la malice du crime vulgaire, et les finesses d'un forfait élégant. L'autre est
résigné, mime profond, mais stupide. Tous ont des
velléités d'ordre et de travail, mais ils sont repous-
sés dans leur fange par une société qui ne veut pas
s'enquérir de ce qu'il peut y avoir de poètes, de
grands hommes, de gens intrépides et d'organisa-

tions magnifiques parmi les mendiants, ces bohé-
miens de Paris ; peuple souverainement bon et souverainement méchant, comme toutes les masses qui
ont souffert ; habitué à supporter des maux inouïs,
et qu'une fatale puissance maintient toujours au
niveau de la boue. Ils ont tous un rêve, une espérance, un bonheur : le jeu, la loterie ou le vin. Il n'y
avait rien de cette vie étrange dans le personnage
collé fort insouciamment sur le mur, devant M. de
Maulincour, comme une fantaisie dessinée par un
habile artiste derrière quelque toile retournée de
son atelier. Cet homme long et sec, dont le visage
plombé trahissait une pensée profonde et glaciale,
séchait la pitié dans le cœur des curieux, par une
attitude pleine d'ironie et par un regard noir qui
annonçaient sa prétention de traiter d'égal à égal
avec eux. Sa figure était d'un blanc sale, et son
crâne ridé, dégarni de cheveux, avait une vague res-
semblance avec un quartier de granit. Quelques
mèches plates et grises, placées de chaque côté de
sa tête, descendaient sur le collet de son habit cras-
seux et boutonné jusqu'au cou. Il ressemblait tout à
la fois à Voltaire et à don Quichotte ; il était railleur
et mélancolique, plein de mépris, de philosophie,
mais à demi aliéné. Il paraissait ne pas avoir de
chemise. Sa barbe était longue. Sa méchante cravate noire tout usée, déchirée, laissait voir un cou
protubérant, fortement sillonné, composé de veines
grosses comme des cordes. Un large cercle brun,
meurtri, se dessinait sous chacun de ses yeux. Il

semblait avoir au moins soixante ans. Ses mains
étaient blanches et propres. Il portait des bottes
éculées et percées. Son pantalon bleu, raccommodé
en plusieurs endroits, était blanchi par une espèce
de duvet qui le rendait ignoble à voir. Soit que ses
vêtements mouillés exhalassent une odeur fétide,
soit qu'il eût à l'état normal cette senteur de misère
qu'ont les taudis parisiens, de même que les
bureaux, les sacristies et les hospices ont la leur,
goût fétide et rance, dont rien ne saurait donner
l'idée, les voisins de cet homme quittèrent leurs
places et le laissèrent seul; il jeta sur eux, puis
reporta sur l'officier son regard calme et sans
expression, le regard si célèbre de M. de Talleyrand, coup d'œil terne et sans chaleur, espèce de
voile impénétrable sous lequel une âme forte cache
de profondes émotions et les plus exacts calculs sur
les hommes, les choses et les événements. Aucun
pli de son visage ne se creusa. Sa bouche et son
front furent impassibles; mais ses yeux s'abais-
sèrent par un mouvement d'une lenteur noble et
presque tragique. Il y eut enfin tout un drame dans
le mouvement de ses paupières flétries.

L'aspect de cette figure stoïque fit naître chez
M. de Maulincour l'une de ces rêveries vagabondes
qui commencent par une interrogation vulgaire et
finissent par comprendre tout un monde de pensées. L'orage était passé. M. de Maulincour n'aperçut plus de cet homme que le pan de sa redingote
qui frôlait la borne; mais, en quittant sa place pour

s'en aller, il trouva sous ses pieds une lettre qui
venait de tomber, et devina qu'elle appartenait à
l'inconnu, en lui voyant remettre dans sa poche un
foulard dont il venait de se servir. L'officier, qui
prit la lettre pour la lui rendre, en lut involontaire-
ment l'adresse :

> *À Mosieur,*
>
> MOSIEUR FERRAGUSSE,

Rue des Grans-Augustains, au coing de la rue
Soly.

> PARIS.

La lettre ne portait aucun timbre, et l'indication
empêcha M. de Maulincour de la restituer : car il y
a peu de passions qui ne deviennent improbes à la
longue. Le baron eut un pressentiment de l'oppor-
tunité de cette trouvaille, et voulut, en gardant la
lettre, se donner le droit d'entrer dans la maison
mystérieuse pour y venir la rendre à cet homme,
ne doutant pas qu'il ne demeurât dans la maison
suspecte. Déjà des soupçons, vagues comme les
premières lueurs du jour, lui faisaient établir des
rapports entre cet homme et Mme Jules. Les amants
jaloux supposent tout ; et c'est en supposant tout,
en choisissant les conjectures les plus probables
que les juges, les espions, les amants et les obser-
vateurs devinent la vérité qui les intéresse.

« Est-ce à lui la lettre ? est-elle de Mme Jules ? »
Mille questions ensemble lui furent jetées par

son imagination inquiète ; mais aux premiers mots il
sourit. Voici textuellement, dans la splendeur de sa
phrase naïve, dans son orthographe ignoble, cette
lettre, à laquelle, il était impossible de rien ajouter,
dont il ne fallait rien retrancher, si ce n'est la lettre
même, mais qu'il a été nécessaire de ponctuer en la
donnant. Il n'existe dans l'original ni virgules, ni
repos indiqué, ni même de points d'exclamation ;
fait qui tendrait à détruire le système des points par
lesquels les auteurs modernes ont essayé de peindre
les grands désastres de toutes les passions.

«HENRY!

» Dans le nombre des sacrifisses que je m'étais
imposée a votre égard ce trouvoit ce lui de ne plus
vous donner de mes nouvelles, mais une voix irré-
sistible mordonne de vous faire connettre vos crimes
en vers moi. Je sais d'avance que votre ame an durcie dans le vice ne daignera pas me pleindre. Votre
cœur est sour à la censibilité. Ne l'ét-il pas aux
cris de la nature, mais peu importe : je dois vous
apprendre jusquà quelle poing vous vous etes rendu
coupable et l'orreur de la position où vous m'avez
mis. Henry, vous saviez tout ce que j'ai souffert de
ma promière faute et vous avez pu me plonger dans
le même *malheur* et m'abendonner à mon desespoir
et à ma douleur. Oui, je la voue, la croyence que
javoit d'être aimée et d'être estimée de vou m'avoit
donné le couraje de suporter mon sort. Mais aujour-
d'hui que me reste-til ? ne m'avez vous pas fai

perdre tout ce que j'avoit de plus cher, tout ce qui m'attachait à la vie : parans, amis, onneur, réputations, je vous ai tout sacrifiés et il ne me reste que l'oprobre, la honte et je le dis sans rougire, la misère. Il ne manquai à mon malheur que la sertitude de votre mépris et de votre aine ; maintenant que je l'é, j'orai le couraje que mon projet exije. Mon parti est pris et l'honneur de ma famille le commande : je vais donc mettre un terme à mes souffransses. Ne faites aucune réflaictions sur mon projet, Henry. Il est affreux, je le sais, mais mon état m'y forsse. Sans secour, sans soutien, sans un *ami* pour me consoler, puije vivre ? non. Le sort en a désidé. Ainci dans deux jours, Henry, dans deux jours Ida ne cera plus digne de votre estime ; mais recevez le serment que je vous fais d'avoir ma conscience tranquille, puisque je n'ai jamais sésé d'être digne de votre amitié. O Henry, mon ami, car je ne changerai jamais pour vous, promettez-moi que vous me pardonnerèz la carrier que je vait embrasser. Mon amour m'a donné du courage, il me soutiendra dans la vertu. Mon cœur d'ailleur plain de ton image cera pour moi un préservatife contre la séduction. N'oubliez jamais que mon sort est votre ouvrage, et jugez-vous. Puice le ciel ne pas vous punir de vos crimes, c'est à genoux que je lui demende votre pardon, car je le sens, il ne me manquerai plus à mes maux que la douleur de vous savoir malheureux. Malgré le dénument où je me trouve, je refuserai tout èspec de secour de vous.

Si vous m'aviez aimé, j'orai pu les recevoir comme venent de la mitié, mais un bienfait exité par la *pitié, mon ame le repousse* et je cerois plus lache en le resevent que celui qui me le proposerai. J'ai une grâce a vous demander. Je ne sais pas le temps que je dois rester chez Mme Meynardie[1], soyez assez généreux déviter di paroitre devent moi. Vos deux dernier visites mon fait un mal dont je me résentirai longtemps : je ne veux point entrer dans des détailles sur votre condhuite à ce sujet. Vous me haisez, ce mot est gravé dans mon cœur et la glassé défroit. Hélas ! c'est au moment où j'ai besoin de tout mon courage que toutes mes facultés ma bandonnent, Henry, mon ami, avant que j'aie mis une barrier entre nous, donne moi une dernier preuve de ton estime : écris-moi, répons moi, dis moi que tu mestime encore quoique ne m'aimant plus. *Malgré que* mes yeux soit toujours dignes de rencontrer les vôtres, je ne solicite pas d'entrevue : je crains tout de ma faiblesse et de mon amour. Mais de grâce écrivez moi un mot de suite, il me donnera le courage dont j'ai besoin pour supporter mes adversités. Adieu l'oteur de tous mes maux, mais le seul ami que mon cœur ai choisi et qu'il n'oublira jamais.

» IDA. »

---

1. Mme Meynardie tient une maison de tolérance dans *Splendeurs et misères des courtisanes.*

Cette vie de jeune fille dont l'amour trompé, les joies funestes, les douleurs, la misère et l'épouvantable résignation étaient résumés en si peu de mots ; ce poème inconnu, mais essentiellement parisien, écrit dans cette lettre sale, agirent pendant un moment sur M. de Maulincour, qui finit par se demander si cette Ida ne serait pas une parente de Mme Jules, et si le rendez-vous du soir, duquel il avait été fortuitement témoin, n'était pas nécessité par quelque tentative charitable. Que le vieux pauvre eût séduit Ida ?... cette séduction tenait du prodige. En se jouant dans le labyrinthe de ses réflexions qui se croisaient et se détruisaient l'une par l'autre, le baron arriva près de la rue Pagevin, et vit un fiacre arrêté dans le bout de la rue des Vieux-Augustins qui avoisine la rue Montmartre. Tous les fiacres stationnés lui disaient quelque chose. « Y serait-elle ? » pensa-t-il. Et son cœur battait par un mouvement chaud et fiévreux. Il poussa la petite porte à grelot, mais en baissant la tête et en obéissant à une sorte de honte, car il entendait une voix secrète qui lui disait : « Pourquoi mets-tu le pied dans ce mystère ? »

Il monta quelques marches, et se trouva nez à nez avec la vieille portière.

« Monsieur Ferragus ?

— Connais pas...

— Comment, M. Ferragus ne demeure pas ici ?

— Nous n'avons pas ça dans la maison.

— Mais, ma bonne femme...

— Je ne suis pas une bonne femme, monsieur,
je suis concierge.

— Mais, madame, reprit le baron, j'ai une lettre
à remettre à M. Ferragus.

— Ah ! si monsieur a une lettre, dit-elle en changeant de ton, la chose est bien différente. Voulez-
vous la faire voir, votre lettre ? » Auguste montra la
lettre pliée. La vieille hocha la tête d'un air de doute,
hésita, sembla vouloir quitter sa loge pour aller
instruire le mystérieux Ferragus de cet incident
imprévu ; puis elle dit : « Eh bien, montez, monsieur. Vous devez savoir où c'est... » Sans répondre
à cette phrase, par laquelle cette vieille rusée pouvait lui tendre un piège, l'officier grimpa lestement
les escaliers, et sonna vivement à la porte du second
étage. Son instinct d'amant lui disait : « *Elle* est là. »

L'inconnu du porche, le Ferragus ou l'*oteur* des
maux d'Ida, ouvrit lui-même. Il se montra vêtu d'une
robe de chambre à fleurs, d'un pantalon de molleton
blanc, les pieds chaussés dans de jolies pantoufles
en tapisserie, et la tête débarbouillée. Mme Jules,
dont la tête dépassait le chambranle de la porte de la
seconde pièce, pâlit et tomba sur une chaise.

« Qu'avez-vous, madame ? » s'écria l'officier en
s'élançant vers elle.

Mais Ferragus étendit le bras et rejeta vivement
l'officier en arrière par un mouvement si sec
qu'Auguste crut avoir reçu dans la poitrine un coup
de barre de fer.

« Arrière ! monsieur, dit cet homme. Que nous

voulez-vous ? Vous rôdez dans le quartier depuis cinq à six jours. Seriez-vous un espion ?

— Êtes-vous M. Ferragus ? dit le baron.

— Non, monsieur.

— Néanmoins, reprit Auguste, je dois vous remettre ce papier, que vous avez perdu sous la porte de la maison où nous étions tous deux pendant la pluie. »

En parlant et en tendant la lettre à cet homme, le baron ne put s'empêcher de jeter un coup d'œil sur la pièce où le recevait Ferragus, il la trouva fort bien décorée, quoique simplement. Il y avait du feu dans la cheminée ; tout auprès était une table servie plus somptueusement que ne le comportaient l'apparente situation de cet homme et la médiocrité de son loyer. Enfin, sur une causeuse de la seconde pièce, qu'il lui fut possible de voir, il aperçut un tas d'or, et entendit un bruit qui ne pouvait être produit que par des pleurs de femme.

« Ce papier m'appartient, je vous remercie », dit l'inconnu en se tournant de manière à faire comprendre au baron qu'il désirait le renvoyer aussitôt.

Trop curieux pour faire attention à l'examen profond dont il était l'objet, Auguste ne vit pas les regards à demi magnétiques par lesquels l'inconnu semblait vouloir le dévorer ; mais s'il eût rencontré cet œil de basilic, il aurait compris le danger de sa position. Trop passionné pour penser à lui-même, Auguste salua, descendit, et retourna chez lui, en essayant de trouver un sens dans la réunion de

ces trois personnes : Ida, Ferragus et Mme Jules ;
occupation qui, moralement, équivalait à chercher
l'arrangement des morceaux de bois biscornus
du casse-tête chinois, sans avoir la clef du jeu.
Mais Mme Jules l'avait vu, Mme Jules venait là,
Mme Jules lui avait menti. Maulincour se proposa
d'aller rendre une visite à cette femme le lendemain, elle ne pouvait pas refuser de le voir, il s'était
fait son complice, il avait les pieds et les mains
dans cette ténébreuse intrigue. Il tranchait déjà du
sultan[1], et pensait à demander impérieusement à
Mme Jules de lui révéler tous ses secrets.

En ce temps-là, Paris avait la fièvre des constructions. Si Paris est un monstre, il est assuré-
ment le plus maniaque des monstres. Il s'éprend
de mille fantaisies : tantôt il bâtit comme un grand
seigneur qui aime la truelle ; puis il laisse sa truelle
et devient militaire ; il s'habille de la tête aux pieds
en garde national, fait l'exercice et fume ; tout à
coup, il abandonne les répétitions militaires et
jette son cigare ; puis il se désole, fait faillite, vend
ses meubles sur la place du Châtelet, dépose son
bilan ; mais quelques jours après, il arrange ses
affaires, se met en fête et danse. Un jour il mange
du sucre d'orge à pleines mains, à pleines lèvres ;
hier il achetait du papier Weynen[2] ; aujourd'hui le
monstre a mal aux dents et s'applique un alexiphar-

---

1. Il se donnait des airs de sultan. (« Trancher du bel esprit », « Trancher du nécessaire » : se faire passer pour indispensable.)
2. Papier à lettres fin et bleuté à la mode dans les années 1830.

maque¹ sur toutes ses murailles; demain il fera ses
provisions de pâte pectorale. Il a ses manies pour
le mois, pour la saison, pour l'année, comme ses
manies d'un jour. En ce moment donc, tout le
monde bâtissait et démolissait quelque chose, on ne
sait quoi encore. Il y avait très peu de rues qui
ne vissent l'échafaudage à longues perches, garni
de planches mises sur des traverses et fixées
d'étages en étages dans des boulins²; construction
frêle, ébranlée par les Limousins³, mais assujettie
par des cordages, toute blanche de plâtre, rarement
garantie des atteintes d'une voiture par ce mur de
planches, enceinte obligée des monuments qu'on
ne bâtit pas. Il y a quelque chose de maritime dans
ces mâts, dans ces échelles, dans ces cordages,
dans les cris des maçons. Or, à douze pas de l'hôtel
Maulincour, un de ces bâtiments éphémères était
élevé devant une maison que l'on construisait en
pierres de taille. Le lendemain, au moment où le
baron de Maulincour passait en cabriolet devant cet
échafaud⁴, en allant chez Mme Jules, une pierre de
deux pieds carrés, arrivée au sommet des perches,
s'échappa de ses liens de corde en tournant sur elle-
même, et tomba sur le domestique, qu'elle écrasa

1. Antidote.
2. Pièces de bois horizontales scellées dans un mur pour soutenir
le plancher des échafaudages.
3. Synonyme d'ouvriers-maçons, surtout ceux qui pratiquaient le
limousinage (sorte de maçonnerie faite de moellons et de mortier).
4. Balzac, qui emploie par ailleurs «échafaudage», joue ici sur le
double sens du mot.

derrière le cabriolet. Un cri d'épouvante fit trembler l'échafaudage et les maçons ; l'un d'eux, en danger de mort, se tenait avec peine aux longues perches et paraissait avoir été touché par la pierre. La foule s'amassa promptement. Tous les maçons descendirent, criant, jurant et disant que le cabriolet de M. de Maulincour avait causé un ébranlement à leur grue. Deux pouces de plus, et l'officier avait la tête coiffée par la pierre. Le valet était mort, la voiture était brisée. Ce fut un événement pour le quartier, les journaux le rapportèrent. M. de Maulincour, sûr de n'avoir rien touché, se plaignit. La justice intervint. Enquête faite, il fut prouvé qu'un petit garçon, armé d'une latte, montait la garde et criait aux passants de s'éloigner. L'affaire en resta là. M. de Maulincour en fut pour son domestique, pour sa terreur, et resta dans son lit pendant quelques jours ; car l'arrière-train du cabriolet en se brisant lui avait fait des contusions ; puis, la secousse nerveuse causée par la surprise lui donna la fièvre. Il n'alla pas chez Mme Jules. Dix jours après cet événement, et à sa première sortie, il se rendait au bois de Boulogne dans son cabriolet restauré, lorsqu'en descendant la rue de Bourgogne, à l'endroit où se trouve l'égout, en face la Chambre des députés, l'essieu se cassa net par le milieu, et le baron allait si rapidement que cette cassure eut pour effet de faire tendre les deux roues à se rejoindre assez violemment pour lui fracasser la tête ; mais il fut préservé de ce danger par la résis-

tance qu'opposa la capote. Néanmoins il reçut une
blessure grave au côté. Pour la seconde fois en dix
jours il fut rapporté quasi mort chez la douairière
éplorée. Ce second accident lui donna quelque
défiance, et il pensa, mais vaguement, à Ferragus et
à Mme Jules. Pour éclaircir ses soupçons, il garda
l'essieu brisé dans sa chambre, et manda son carrossier. Le carrossier vint, regarda l'essieu, la cassure, et prouva deux choses à M. de Maulincour.
D'abord l'essieu ne sortait pas de ses ateliers ; il
n'en fournissait aucun qu'il n'y gravât grossière-
ment les initiales de son nom, et il ne pouvait pas
expliquer par quels moyens cet essieu avait été sub-
stitué à l'autre ; puis la cassure de cet essieu suspect
avait été ménagée par une chambre, espèce de
creux intérieur, par des soufflures et par des pailles
très habilement pratiquées.

« Eh ! monsieur le baron, il a fallu être joliment
malin, dit-il, pour arranger un essieu sur ce modèle,
on jurerait que c'est naturel… »

M. de Maulincour pria son carrossier de ne rien
dire de cette aventure, et se tint pour dûment averti.
Ces deux tentatives d'assassinat étaient ourdies avec
une adresse qui dénotait l'inimitié de gens supérieurs.

« C'est une guerre à mort, se dit-il en s'agitant
dans son lit, une guerre de sauvage, une guerre de
surprise, d'embuscade, de traîtrise, déclarée au nom
de Mme Jules. À quel homme appartient-elle donc ?
De quel pouvoir dispose donc ce Ferragus ? »

Enfin M. de Maulincour, quoique brave et militaire, ne put s'empêcher de frémir. Au milieu de toutes les pensées qui l'assaillirent, il y en eut une contre laquelle il se trouva sans défense et sans courage : le poison ne serait-il pas bientôt employé par ses ennemis secrets ? Aussitôt, dominé par des craintes que sa faiblesse momentanée, que la diète et la fièvre augmentaient encore, il fit venir une vieille femme attachée depuis longtemps à sa grand-mère, une femme qui avait pour lui un de ces sentiments à demi maternels, le sublime du commun. Sans s'ouvrir entièrement à elle, il la chargea d'acheter secrètement, et chaque jour, en des endroits différents, les aliments qui lui étaient nécessaires, en lui recommandant de les mettre sous clef et de les lui apporter elle-même, sans permettre à qui que ce fût de s'en approcher quand elle les lui servirait. Enfin il prit les précautions les plus minutieuses pour se garantir de ce genre de mort. Il se trouvait au lit, seul, malade ; il pouvait donc penser à loisir à sa propre défense, le seul besoin assez clairvoyant pour permettre à l'égoïsme humain de ne rien oublier. Mais le malheureux malade avait empoisonné sa vie par la crainte ; et, malgré lui, le soupçon teignit toutes les heures de ses sombres nuances. Cependant ces deux leçons d'assassinat lui apprirent une des vertus les plus nécessaires aux hommes politiques, il comprit la haute dissimulation dont il faut user dans le jeu des grands intérêts de la vie. Taire son secret n'est rien ; mais se taire à l'avance, mais savoir oublier un fait pendant trente ans, s'il le faut, à la manière d'Ali-Pacha[1], pour assurer une vengeance méditée pendant trente ans, est une belle étude en un pays où il y a peu d'hommes qui sachent dissimuler pendant trente jours. M. de Maulincour ne vivait plus que par Mme Jules. Il était perpétuellement occupé à examiner sérieusement les moyens qu'il pouvait employer dans cette lutte inconnue pour triompher d'adversaires inconnus. Sa passion anonyme pour cette femme grandissait de tous ces obstacles. Mme Jules était toujours debout, au milieu de ses pensées et de son cœur, plus attrayante alors par ses vices présumés que par les vertus certaines qui en avaient fait pour lui son idole.

Le malade, voulant reconnaître les positions de l'ennemi, crut pouvoir sans danger initier le vieux vidame aux secrets de sa situation. Le commandeur aimait Auguste comme un père aime les enfants de sa femme; il était fin, adroit, il avait un esprit diplomatique. Il vint donc écouter le baron, hocha la tête, et tous deux tinrent conseil. Le bon vidame ne partagea pas la confiance de son jeune ami, quand Auguste lui dit qu'au temps où ils vivaient, la police et le pouvoir étaient à même de connaître tous les mystères, et que, s'il fallait absolument y recourir, il trouverait en eux de puissants auxiliaires.

---

1. Ali, puissant pacha de Janina (1741-1822), à la fois autoritaire et dissimulateur.

Le vieillard lui répondit gravement : « La police, mon cher enfant, est ce qu'il y a de plus inhabile au monde, et le pouvoir ce qu'il y a de plus faible dans les questions individuelles. Ni la police, ni le pouvoir ne savent lire au fond des cœurs. Ce qu'on doit raisonnablement leur demander, c'est de rechercher les causes d'un fait. Or, le pouvoir et la police sont éminemment impropres à ce métier : ils manquent essentiellement de cet intérêt personnel qui révèle tout à celui qui a besoin de tout savoir. Aucune puissance humaine ne peut empêcher un assassin ou un empoisonneur d'arriver soit au cœur d'un prince, soit à l'estomac d'un homme. Les passions font toute la police. »

Le commandeur conseilla fortement au baron de s'en aller en Italie, d'Italie en Grèce, de Grèce en Syrie, de Syrie en Asie et de ne revenir qu'après avoir convaincu ses ennemis secrets de son repentir, et de faire ainsi tacitement sa paix avec eux ; sinon, de rester dans son hôtel, et même dans sa chambre, où il pouvait se garantir des atteintes de ce Ferragus, et n'en sortir que pour l'écraser en toute sûreté.

« Il ne faut toucher à son ennemi que pour lui abattre la tête », lui dit-il gravement.

Néanmoins, le vieillard promit à son favori d'employer tout ce que le ciel lui avait départi d'astuce pour, sans compromettre personne, pousser des reconnaissances chez l'ennemi, en rendre bon compte, et préparer la victoire. Le commandeur avait un vieux Figaro retiré, le plus malin singe qui jamais eût pris figure humaine, jadis spirituel comme un diable, faisant tout de son corps comme un forçat, alerte comme un voleur, fin comme une femme, mais tombé dans la décadence du génie, faute d'occasions, depuis la nouvelle constitution de la société parisienne, qui a mis en réforme les valets de comédie. Ce Scapin émérite était attaché à son maître comme à un être supérieur ; mais le rusé vidame ajoutait chaque année aux gages de son ancien prévôt de galanterie une assez forte somme, attention qui en corroborait l'amitié naturelle par les liens de l'intérêt, et valait au vieillard des soins que la maîtresse la plus aimante n'eût pas inventés pour son ami malade. Ce fut cette perle des vieux valets de théâtre, débris du dernier siècle, ministre incorruptible, faute de passions à satisfaire, auquel se fièrent le commandeur et M. de Maulincour.

« Monsieur le baron gâterait tout, dit ce grand homme en livrée appelé au conseil. Que monsieur mange, boive et dorme tranquillement. Je prends tout sur moi. »

En effet, huit jours après la conférence, au moment où M. de Maulincour, parfaitement remis de son indisposition, déjeunait avec sa grand-mère et le vidame, Justin entra pour faire son rapport. Puis, avec cette fausse modestie qu'affectent les gens de talent, il dit, lorsque la douairière fut rentrée dans ses appartements : « Ferragus n'est pas le nom de l'ennemi qui poursuit M. le baron. Cet homme, ce diable s'appelle Gratien, Henri, Victor,

Jean-Joseph Bourignard. Le sieur Gratien Bourignard est un ancien entrepreneur de bâtiments,
jadis fort riche, et surtout l'un des plus jolis garçons
de Paris, un Lovelace[1] capable de séduire Grandisson. Ici s'arrêtent mes renseignements. Il a été
simple ouvrier, et les compagnons de l'ordre des
Dévorants l'ont, dans le temps, élu pour chef, sous
le nom de Ferragus XXIII. La police devrait savoir
cela, si la police était instituée pour savoir quelque
chose. Cet homme a déménagé, ne demeure plus
rue des Vieux-Augustins, et perche maintenant rue
Joquelet, Mme Jules Desmarets va le voir souvent ;
assez souvent son mari, en allant à la Bourse,
la mène rue Vivienne, ou elle mène son mari à la
Bourse. M. le vidame connaît trop bien ces choses-
là pour exiger que je lui dise si c'est le mari qui
mène sa femme ou la femme qui mène son mari ;
mais Mme Jules est si jolie que je parierais pour
elle. Tout cela est du dernier positif. Mon Bourignard joue souvent au numéro 129[2]. C'est, sous
votre respect, monsieur, un farceur qui aime les
femmes, et qui vous a ses petites allures comme un
homme de condition. Du reste, il gagne souvent, se
déguise comme un acteur, se grime comme il veut,
et vous a la vie la plus originale du monde. Je ne
doute pas qu'il n'ait plusieurs domiciles, car, la
plupart du temps, il échappe à ce que M. le com

---

1. Un débauché prêt à tout pour séduire une femme, d'apr`
sonnage de *Clarisse Harlowe* (1748), roman de Samuel R`
2. L'une des maisons de jeux du Palais-Royal.

mandeur nomme les *investigations parlementaires*.
Si monsieur le désire, on peut néanmoins s'en
défaire honorablement, eu égard à ses habitudes. Il
est toujours facile de se débarrasser d'un homme
qui aime les femmes. Néanmoins, ce capitaliste
parle de déménager encore. Maintenant, monsieur
le vidame et monsieur le baron ont-ils quelque
chose à me commander ?

— Justin, je suis content de toi, ne va pas plus
loin sans ordre ; mais veille ici à tout, de manière
que M. le baron n'ait rien à craindre.

« Mon cher enfant, reprit le vidame, reprends ta
vie et oublie Mme Jules.

— Non, non, dit Auguste, je ne céderai pas la
place à Gratien Bourignard, je veux l'avoir pieds et
poings liés, et Mme Jules aussi. »

Le soir, le baron Auguste de Maulincour, récemment promu à un grade supérieur dans une compagnie
des Gardes-du-corps, alla au bal, à l'Élysée-Bour-
bon, chez Mme la duchesse de Berri. Là, certes, il ne
pouvait y avoir aucun danger à redouter pour lui. Le
baron de Maulincour en sortit néanmoins avec une
affaire d'honneur à vider, une affaire qu'il était
impossible d'arranger. Son adversaire, le marquis
de Ronquerolles, avait les plus fortes raisons de se
plaindre d'Auguste, et Auguste y avait donné lieu
par son ancienne liaison avec la sœur de M. de Ronquerolles, la comtesse de Sérizy. Cette dame, qui
n'aimait pas la sensiblerie allemande, n'en était que
lus exigeante dans les moindres détails de son cos-

tume de prude. Par une de ces fatalités inexplicables, Auguste fit une innocente plaisanterie que Mme de Sérizy prit fort mal, et de laquelle son frère s'offensa. L'explication eut lieu dans un coin, à voix basse. En gens de bonne compagnie, les deux adversaires ne firent point de bruit. Le lendemain seulement, la société du faubourg Saint-Honoré, du faubourg Saint-Germain, et le château[1], s'entretinrent de cette aventure. Mme de Sérizy fut chaudement défendue, et l'on donna tous les torts à Maulincour. D'augustes personnages intervinrent. Des témoins de la plus haute distinction furent imposés à MM. de Maulincour et de Ronquerolles, et toutes les précautions furent prises sur le terrain pour qu'il n'y eût personne de tué. Quand Auguste se trouva devant son adversaire, homme de plaisir, auquel personne ne refusait des sentiments d'honneur, il ne put voir en lui l'instrument de Ferragus, chef des Dévorants, mais il eut une secrète envie d'obéir à d'inexplicables pressentiments en questionnant le marquis.

« Messieurs, dit-il aux témoins, je ne refuse certes pas d'essuyer le feu de M. de Ronquerolles ; mais, auparavant, je déclare que j'ai eu tort, je lui fais les excuses qu'il exigera de moi, publiquement même s'il le désire, parce que, quand il s'agit d'une femme, rien ne saurait, je crois, déshonorer un galant homme. J'en appelle donc à sa raison

1. L'entourage immédiat du Roi.

et à sa générosité, n'y a-t-il pas un peu de niaiserie à se battre quand le bon droit peut succomber?...»

M. de Ronquerolles n'admit pas cette façon de
finir l'affaire, et alors le baron, devenu plus soup-
çonneux, s'approcha de son adversaire.

«Eh bien, monsieur le marquis, lui dit-il, enga-
gez-moi, devant ces messieurs, votre foi de gentilhomme de n'apporter dans cette rencontre aucune
raison de vengeance autre que celle dont il s'agit
publiquement.

— Monsieur, ce n'est pas une question à me
faire.»

Et M. de Ronquerolles alla se mettre à sa place. Il
était convenu, par avance, que les deux adversaires
se contenteraient d'échanger un coup de pistolet.
M. de Ronquerolles, malgré la distance déterminée
qui semblait devoir rendre la mort de M. de Maulincour très problématique, pour ne pas dire impossible, fit tomber le baron. La balle lui traversa les
côtes, à deux doigts au-dessous du cœur, mais heureusement sans de fortes lésions.

«Vous visez trop bien, monsieur, dit l'officier
aux gardes[1], pour avoir voulu venger des passions
mortes.»

M. de Ronquerolles crut Auguste mort, et ne
put retenir un sourire sardonique en entendant ces
paroles.

---

1. Officier dans une compagnie des Gardes-du-corps.

« La sœur de Jules César, monsieur, ne doit pas être soupçonnée[1].

— Toujours Mme Jules », répondit Auguste.

Il s'évanouit, sans pouvoir achever une mordante plaisanterie qui expira sur ses lèvres ; mais, quoiqu'il perdît beaucoup de sang, sa blessure n'était pas dangereuse. Après une quinzaine de jours pendant lesquels la douairière et le vidame lui prodiguèrent ces soins de vieillard, soins dont une longue expérience de la vie donne seule le secret, un matin sa grand-mère lui porta de rudes coups. Elle lui révéla les mortelles inquiétudes auxquelles étaient livrés ses vieux, ses derniers jours. Elle avait reçu une lettre signée d'un F, dans laquelle l'histoire de l'espionnage auquel s'était abaissé son petit-fils lui était, de point en point, racontée. Dans cette lettre, des actions indignes d'un honnête homme étaient reprochées à M. de Maulincour. Il avait, disait-on, mis une vieille femme rue de Ménars, sur la place de fiacres qui s'y trouve, vieille espionne occupée en apparence à vendre aux cochers l'eau de ses tonneaux, mais en réalité chargée d'épier les démarches de Mme Jules Desmarets. Il avait espionné l'homme le plus inoffensif du monde pour en pénétrer tous les secrets, quand, de ces secrets, dépendait la vie ou la mort de trois personnes. Lui seul avait voulu la lutte impitoyable dans laquelle, déjà blessé trois fois, il

1. En réalité la *femme* de Jules César. Pourtant convaincu de son innocence, César répudia sa femme parce que « la femme de César ne doit pas même être soupçonnée ».

succomberait inévitablement, parce que sa mort
avait été jurée, et serait sollicitée par tous les moyens
humains. M. de Maulincour ne pourrait même plus
éviter son sort en promettant de respecter la vie
mystérieuse de ces trois personnes, parce qu'il était
impossible de croire à la parole d'un gentilhomme
capable de tomber aussi bas que des agents de
police ; et pourquoi, pour troubler, sans raison, la vie
d'une femme innocente et d'un vieillard respectable. La lettre ne fut rien pour Auguste, en comparaison des tendres reproches que lui fit essuyer la
baronne de Maulincour. Manquer de respect et de
confiance envers une femme, l'espionner sans en
avoir le droit ! Et devait-on espionner la femme dont
on est aimé ? Ce fut un torrent de ces excellentes raisons qui ne prouvent jamais rien, et qui mirent, pour
la première fois de sa vie, le jeune baron dans une
des grandes colères humaines où germent, d'où sor-
tent les actions les plus capitales de la vie.

« Puisque ce duel est un duel à mort, dit-il en
forme de conclusion, je dois tuer mon ennemi par
tous les moyens que je puis avoir à ma disposition. »

Aussitôt le commandeur alla trouver, de la part
de M. de Maulincour, le chef de la police particulière de Paris, et, sans mêler ni le nom ni la personne de Mme Jules au récit de cette aventure,
quoiqu'elle en fût le nœud secret, il lui fit part des
craintes que donnait à la famille de Maulincour le
personnage inconnu assez osé pour jurer la perte
d'un officier aux gardes, en face des lois et de la

police. L'homme de la police leva de surprise ses
lunettes vertes, se moucha plusieurs fois, et offrit
du tabac au vidame, qui, par dignité, prétendait ne
pas user de tabac, quoiqu'il en eût le nez bar-
bouillé. Puis le sous-chef prit ses notes, et promit
que, Vidocq[1] et ses limiers aidant, il rendrait sous
peu de jours bon compte à la famille Maulincour de
cet ennemi, disant qu'il n'y avait pas de mystères
pour la police de Paris. Quelques jours après, le
chef vint voir M. le vidame à l'hôtel de Maulincour, et trouva le jeune baron parfaitement remis de
sa dernière blessure. Alors, il leur fit en style administratif ses remerciements des indications qu'ils
avaient eu la bonté de lui donner, en lui apprenant
que ce Bourignard était un homme condamné à
vingt ans de travaux forcés, mais miraculeusement
échappé pendant le transport de la chaîne de Bicêtre
à Toulon. Depuis treize ans, la police avait infruc-
tueusement essayé de le reprendre, après avoir su
qu'il était venu fort insouciamment habiter Paris,
où il avait évité les recherches les plus actives,
quoiqu'il fût constamment mêlé à beaucoup d'intrigues ténébreuses. Bref, cet homme, dont la vie
offrait les particularités les plus curieuses, allait
être certainement saisi à l'un de ses domiciles, et

1. Eugène-François Vidocq (1775-1857), lui-même ancien bagnard,
était chef de la brigade de sûreté (composée de forçats libérés). «Ces
agents inconnus forment encore un monde à part, qu'il n'avait été donné
à personne de décrire avant que M. Vidocq eût publié ses Mémoires»,
Code des gens honnêtes (1825).

livré à la justice. Le bureaucrate termina son rapport officieux en disant à M. de Maulincour que s'il
attachait assez d'importance à cette affaire pour
être témoin de la capture de Bourignard, il pouvait
venir le lendemain, à huit heures du matin, rue
Sainte-Foi, dans une maison dont il lui donna le
numéro. M. de Maulincour se dispensa d'aller chercher cette certitude, s'en fiant, avec le saint respect
que la police inspire à Paris, sur la diligence de
l'administration. Trois jours après, n'ayant rien lu
dans le journal sur cette arrestation, qui cependant
devait fournir matière à quelque article curieux,
M. de Maulincour conçut des inquiétudes, que dis-
sipa la lettre suivante :

«MONSIEUR LE BARON,

» J'ai l'honneur de vous annoncer que vous
ne devez plus conserver aucune crainte touchant
l'affaire dont il est question. Le nommé Gratien
Bourignard, dit Ferragus, est décédé hier, en son
domicile, rue Joquelet, nº 7. Les soupçons que nous
devions concevoir sur son identité ont pleinement
été détruits par les faits. Le médecin de la Préfec-
ture de police a été par nous adjoint à celui de la
mairie, et le chef de la police de sûreté a fait toutes
les vérifications nécessaires pour parvenir à une
pleine certitude. D'ailleurs, la moralité des témoins
qui ont signé l'acte de décès, et les attestations de
ceux qui ont soigné ledit Bourignard dans ses der-

niers moments, entre autres celle du respectable vicaire de l'église Bonne-Nouvelle, auquel il a fait ses aveux, au tribunal de la pénitence, car il est mort en chrétien, ne nous ont pas permis de conserver les moindres doutes.

» Agréez, monsieur le baron », etc.

M. de Maulincour, la douairière et le vidame respirèrent avec un plaisir indicible. La bonne femme embrassa son petit-fils, en laissant échapper une larme, et le quitta pour remercier Dieu par une prière. La chère douairière, qui faisait une neuvaine pour le salut d'Auguste, se crut exaucée.

« Eh bien, dit le commandeur, tu peux maintenant te rendre au bal dont tu me parlais, je n'ai plus d'objections à t'opposer. »

M. de Maulincour fut d'autant plus empressé d'aller à ce bal, que Mme Jules devait s'y trouver. Cette fête était donnée par le préfet de la Seine, chez lequel les deux sociétés de Paris se rencontraient comme sur un terrain neutre. Auguste parcourut les salons sans voir la femme qui exerçait sur sa vie une si grande influence. Il entra dans un boudoir encore désert, où des tables de jeu attendaient les joueurs, et il s'assit sur un divan, livré aux pensées les plus contradictoires sur Mme Jules. Un homme prit alors le jeune officier par le bras, et le baron resta stupéfait en voyant le pauvre de la rue Coquillière, le Ferragus d'Ida, l'habitant de

la rue Soly, le Bourignard de Justin, le forçat de la
police, le mort de la veille.

« Monsieur, pas un cri, pas un mot », lui dit Bourignard dont il reconnut la voix, mais qui certes eût
semblé méconnaissable à tout autre. Il était mis
élégamment, portait les insignes de l'ordre de la
Toison d'or et une plaque à son habit. « Monsieur,
reprit-il d'une voix qui sifflait comme celle d'une
hyène, vous autorisez toutes mes tentatives en mettant de votre côté la police. Vous périrez, monsieur.
Il le faut. Aimez-vous Mme Jules ? Étiez-vous aimé
d'elle ? De quel droit vouliez-vous troubler son
repos, noircir sa vertu ? »

Quelqu'un survint. Ferragus se leva pour sortir.

« Connaissez-vous cet homme ? » demanda M. de
Maulincour en saisissant Ferragus au collet. Mais
Ferragus se dégagea lestement, prit M. de Maulincour par les cheveux, et lui secoua railleusement la
tête à plusieurs reprises. « Faut-il donc absolument
du plomb pour la rendre sage ? dit-il.

— Non pas personnellement, monsieur, répondit de Marsay, le témoin de cette scène ; mais je
sais que monsieur est M. de Funcal[1], Portugais fort
riche. »

M. de Funcal avait disparu. Le baron se mit à
sa poursuite sans pouvoir le rejoindre, et quand il
arriva sous le péristyle, il vit, dans un brillant équi-

---

1. Funcal est la capitale de Madère. Un comte de Funchal vint
à Paris en 1831 ; l'ordre de la Toison d'or est une distinction espagnole.

page, Ferragus qui ricanait en le regardant, et partait au grand trot.

« Monsieur, de grâce, dit Auguste en rentrant dans le salon et en s'adressant à de Marsay qui se trouvait être de sa connaissance, où M. de Funcal demeure-t-il ?

— Je l'ignore, mais on vous le dira sans doute ici. »

Le baron, ayant questionné le préfet, apprit que le comte de Funcal demeurait à l'ambassade de Portugal. En ce moment où il croyait encore sentir les doigts glacés de Ferragus dans ses cheveux, il vit Mme Jules dans tout l'éclat de sa beauté, fraîche, gracieuse, naïve, resplendissant de cette sainteté féminine dont il s'était épris. Cette créature, infernale pour lui, n'excitait plus chez Auguste que de la haine, et cette haine déborda sanglante, terrible dans ses regards ; il épia le moment de lui parler sans être entendu de personne, et lui dit : « Madame, voici déjà trois fois que vos *bravi*[1] me manquent.

— Que voulez-vous dire, monsieur ? répondit-elle en rougissant. Je sais qu'il vous est arrivé plusieurs accidents fâcheux, auxquels j'ai pris beaucoup de part ; mais comment puis-je y être pour quelque chose ?

— Vous savez donc qu'il y a des *bravi* dirigés contre moi par l'homme de la rue Soly ?

— Monsieur !

1. Tueurs à gages.

— Madame, maintenant je ne serai pas seul à vous demander compte, non pas de mon bonheur, mais de mon sang... »

En ce moment, Jules Desmarets s'approcha.

« Que dites-vous donc à ma femme, monsieur ?

— Venez vous en enquérir chez moi, si vous en êtes curieux, monsieur. »

Et Maulincour sortit, laissant Mme Jules pâle et presque en défaillance.

CHAPITRE III

LA FEMME ACCUSÉE

Il est bien peu de femmes qui ne se soient trouvées, une fois dans leur vie, à propos d'un fait incontestable, en face d'une interrogation précise, aiguë, tranchante, une de ces questions impitoyablement faites par leurs maris, et dont la seule appréhension donne un léger froid, dont le premier mot entre dans le cœur comme y entrerait l'acier d'un poignard. De là cet axiome : *Toute femme ment.* Mensonge officieux, mensonge véniel, mensonge sublime, mensonge horrible ; mais obligation de mentir. Puis, cette obligation admise, ne faut-il pas savoir bien mentir ? les femmes mentent admirablement en France. Nos mœurs leur apprennent si bien l'imposture ! Enfin, la femme est si naïvement impertinente, si jolie, si gracieuse, si vraie dans le mensonge ; elle en reconnaît si bien l'utilité pour éviter, dans la vie sociale, les chocs violents auxquels le bonheur ne résisterait pas, qu'il leur est nécessaire comme la ouate où elles mettent leurs bijoux. Le mensonge devient donc pour elles le fond de la langue, et la vérité n'est plus qu'une

exception; elles la disent, comme elles sont ver-
tueuses, par caprice ou par spéculation. Puis, selon
leur caractère, certaines femmes rient en mentant; celles-ci pleurent, celles-là deviennent graves;
quelques-unes se fâchent. Après avoir commencé
dans la vie par feindre de l'insensibilité pour les
hommages qui les flattaient le plus, elles finissent
souvent par se mentir à elles-mêmes. Qui n'a pas
admiré leur apparence de supériorité au moment
où elles tremblent pour les mystérieux trésors de
leur amour? Qui n'a pas étudié leur aisance, leur
facilité, leur liberté d'esprit dans les plus grands
embarras de la vie? Chez elles, rien d'emprunté : la
tromperie coule alors comme la neige tombe du
ciel. Puis, avec quel art elles découvrent le vrai
dans autrui! Avec quelle finesse elles emploient la
plus droite logique, à propos de la question pas-
sionnée qui leur livre toujours quelque secret de
cœur chez un homme assez naïf pour procéder près
d'elles par interrogation! Questionner une femme,
n'est-ce pas se livrer à elle? n'apprendra-t-elle pas
tout ce qu'on veut lui cacher, et ne saura-t-elle pas se
taire en parlant? Et quelques hommes ont la prétention de lutter avec la femme de Paris! avec une
femme qui sait se mettre au-dessus des coups de
poignard, en disant : « *Vous êtes bien curieux! que
vous importe? Pourquoi voulez-vous le savoir?
Ah! vous êtes jaloux! Et si je ne voulais pas vous
répondre?* » enfin, avec une femme qui possède
cent trente-sept mille manières de dire NON, et d'in-

commensurables variations pour dire OUI. Le traité
du *non* et du *oui* n'est-il pas une des plus belles
œuvres diplomatiques, philosophiques, logogra-
phiques[1] et morales qui nous restent à faire? Mais
pour accomplir cette œuvre diabolique, ne faudrait-
il pas un génie androgyne? aussi, ne sera-t-elle
jamais tentée. Puis, de tous les ouvrages inédits,
celui-là n'est-il pas le plus connu, le mieux pratiqué
par les femmes? Avez-vous jamais étudié l'allure,
la pose, la *disinvoltura* d'un mensonge? Examinez.
Mme Desmarets était assise dans le coin droit de sa
voiture, et son mari dans le coin gauche. Ayant su
se remettre de son émotion en sortant du bal,
Mme Jules affectait une contenance calme. Son
mari ne lui avait rien dit, et ne lui disait rien encore.
Jules regardait par la portière les pans noirs des
maisons silencieuses devant lesquelles il passait;
mais tout à coup, comme poussé par une pensée
déterminante, en tournant un coin de rue, il examina sa femme, qui semblait avoir froid, malgré la
pelisse doublée de fourrure dans laquelle elle était
enveloppée; il lui trouva un air pensif, et peut-être
était-elle réellement pensive. De toutes les choses
qui se communiquent, la réflexion et la gravité sont
les plus contagieuses.

«Qu'est-ce que M. de Maulincour a donc pu
te dire pour t'affecter si vivement, demanda Jules,

1. Le logographe était l'historien des premiers temps de la Grèce.
Par exemple, Hérodote est considéré comme le plus grand des logo-
graphes.

et que veut-il donc que j'aille apprendre chez lui ?

— Mais il ne pourra rien te dire chez lui que je ne te dise maintenant », répondit-elle.

Puis, avec cette finesse féminine qui déshonore toujours un peu la vertu, Mme Jules attendit une autre question. Le mari retourna la tête vers les maisons et continua ses études sur les portes cochères. Une interrogation de plus n'était-elle pas un soupçon, une défiance ? Soupçonner une femme est un crime en amour. Jules avait déjà tué un homme sans avoir douté de sa femme. Clémence ne savait pas tout ce qu'il y avait de passion vraie, de réflexions profondes dans le silence de son mari, de même que Jules ignorait le drame admirable qui serrait le cœur de sa Clémence. Et la voiture d'aller dans Paris silencieux, emportant deux époux, deux amants qui s'idolâtraient, et qui, doucement appuyés, réunis sur des coussins de soie, étaient néanmoins séparés par un abîme. Dans ces élégants coupés qui reviennent du bal, entre minuit et deux heures du matin, combien de scènes bizarres ne se passe-t-il pas, en s'en tenant aux coupés dont les lanternes éclairent et la rue et la voiture, ceux dont les glaces sont claires, enfin les coupés de l'amour légitime où les couples peuvent se quereller sans avoir peur d'être vus par les passants, parce que l'état civil donne le droit de bouder, de battre, d'embrasser une femme en voiture et ailleurs, partout ! Aussi combien de secrets ne se révèle-t-il pas aux fantassins nocturnes, à ces jeunes gens venus au bal en voiture, mais obligés, par quelque cause que ce soit, de s'en aller à pied ! C'était la première fois que Jules et Clémence se trouvaient ainsi chacun dans leur coin. Le mari se pressait ordinairement près de sa femme.

« Il fait bien froid », dit Mme Jules.

Mais ce mari n'entendit point, il étudiait toutes les enseignes noires au-dessus des boutiques.

« Clémence, dit-il enfin, pardonne-moi la question que je vais t'adresser. »

Et il se rapprocha, la saisit par la taille et la ramena près de lui.

« Mon Dieu, nous y voici ! » pensa la pauvre femme.

« Eh bien, reprit-elle en allant au-devant de la question, tu veux apprendre ce que me disait M. de Maulincour. Je te le dirai, Jules ; mais ce ne sera point sans terreur. Mon Dieu, pouvons-nous avoir des secrets l'un pour l'autre ? Depuis un moment, je te vois luttant entre la conscience de notre amour et des craintes vagues ; mais notre conscience n'est-elle pas claire, et tes soupçons ne te semblent-ils pas bien ténébreux ? Pourquoi ne pas rester dans la clarté qui te plaît ? Quand je t'aurai tout raconté, tu désireras en savoir davantage ; et cependant, je ne sais moi-même ce que cachent les étranges paroles de cet homme. Eh bien, peut-être y aura-t-il alors entre vous deux quelque fatale affaire. J'aimerais bien mieux que nous oubliassions tous deux ce mauvais moment. Mais, dans tous les cas, jure-moi d'attendre que cette singulière aventure s'explique naturellement. M. de Maulincour m'a déclaré que les trois accidents dont tu as entendu parler : la pierre tombée sur son domestique, sa chute en cabriolet et son duel à propos de Mme de Sérizy étaient l'effet d'une conjuration que j'avais tramée contre lui. Puis, il m'a menacée de t'expliquer l'intérêt qui me porterait à l'assassiner. Comprends-tu quelque chose à tout cela ? Mon trouble est venu de l'impression que m'ont causée la vue de sa figure empreinte de folie, ses yeux hagards et ses paroles violemment entrecoupées par une émotion intérieure. Je l'ai cru fou. Voilà tout. Maintenant, je ne serais pas femme si je ne m'étais point aperçue que, depuis un an, je suis devenue, comme on dit, la passion de M. de Maulincour. Il ne m'a jamais vue qu'au bal, et ses propos étaient insignifiants, comme tous ceux que l'on tient au bal. Peut-être veut-il nous désunir pour me trouver un jour seule et sans défense. Tu vois bien ? Déjà tes sourcils se froncent. Oh ! je hais cordialement le monde. Nous sommes si heureux sans lui ! pourquoi donc l'aller chercher ? Jules, je t'en supplie, promets-moi d'oublier tout ceci. Demain nous apprendrons sans doute que M. de Maulincour est devenu fou. »

« Quelle singulière chose ! » se dit Jules en descendant de voiture sous le péristyle de son escalier.

Il tendit les bras à sa femme, et tous deux montèrent dans leurs appartements.

Pour développer cette histoire dans toute la vérité

de ses détails, pour en suivre le cours dans toutes ses sinuosités, il faut ici divulguer quelques secrets de l'amour, se glisser sous les lambris d'une chambre à coucher, non pas effrontément, mais à la manière de Trilby[1], n'effaroucher ni Dougal, ni Jeannie, n'effaroucher personne, être aussi chaste que veut l'être notre noble langue française, aussi hardi que l'a été le pinceau de Gérard dans son tableau de *Daphnis et Chloé*[2]. La chambre à coucher de Mme Jules était un lieu sacré. Elle, son mari, sa femme de chambre pouvaient seuls y entrer. L'opulence a de beaux privilèges, et les plus enviables sont ceux qui permettent de développer les sentiments dans toute leur étendue, de les féconder par l'accomplissement de leurs mille caprices, de les environner de cet éclat qui les agrandit, de ces recherches qui les purifient, de ces délicatesses qui les rendent encore plus attrayants. Si vous haïssez les dîners sur l'herbe et les repas mal servis, si vous éprouvez quelque plaisir à voir une nappe damassée éblouissante de blancheur, un couvert de vermeil, des porcelaines d'une exquise pureté, une table bordée d'or, riche de ciselure, éclairée par des bougies diaphanes, puis, sous des globes d'argent armoriés, les miracles de la cuisine la plus recherchée ; pour être conséquent, vous

---

1. Lutin d'un conte de Charles Nodier (*Trilby*, 1822) qui vient troubler l'intimité du pêcheur Dougal et de sa femme Jeannie.
2. Ce tableau du baron François Gérard (1770-1837) représente Daphnis tressant une couronne à Chloé dont la tête repose sur ses genoux. Il se trouve au musée du Louvre.

devez alors laisser la mansarde en haut des maisons, les grisettes dans la rue ; abandonner les mansardes, les grisettes, les parapluies, les socques articulés aux gens qui payent leur dîner avec des cachets[1] ; puis, vous devez comprendre l'amour comme un principe qui ne se développe dans toute sa grâce que sur les tapis de la Savonnerie, sous la lueur d'opale d'une lampe marmorine[2], entre des murailles discrètes et revêtues de soie, devant un foyer doré, dans une chambre sourde au bruit des voisins, de la rue, de tout, par des persiennes, par des volets, par d'ondoyants rideaux. Il vous faut des glaces dans lesquelles les formes se jouent, et qui répètent à l'infini la femme que l'on voudrait multiple, et que l'amour multiplie souvent ; puis des divans bien bas ; puis un lit qui, semblable à un secret, se laisse deviner sans être montré ; puis, dans cette chambre coquette, des fourrures pour les pieds nus, des bougies sous verre au milieu des mousselines drapées, pour lire à toute heure de nuit, et des fleurs qui n'entêtent pas, et des toiles dont la finesse eût satisfait Anne d'Autriche. Mme Jules avait réalisé ce délicieux programme, mais ce n'était rien. Toute femme de goût pouvait en faire autant, quoique, néanmoins, il y ait dans l'arrangement de ces choses un cachet de personna-

1. Les cachets étaient les cartes d'abonnement délivrées par certains établissements, notamment les restaurants, à leurs abonnés.
2. Synonyme de *marmoréen*, qui a la nature ou l'apparence du marbre. Ce mot n'est pas recensé par Littré et dans le Nouveau Larousse illustré du XIXe siècle la citation donnée en exemple est empruntée à... Balzac.

lité qui donne à tel ornement, à tel détail, un caractère inimitable. Aujourd'hui plus que jamais règne le fanatisme de l'individualité. Plus nos lois tendront à une impossible égalité, plus nous nous en écarterons par les mœurs. Aussi les personnes riches commencent-elles, en France, à devenir plus exclusives dans leurs goûts et dans les choses qui leur appartiennent, qu'elles ne l'ont été depuis trente ans. Mme Jules savait à quoi l'engageait ce programme, et avait tout mis chez elle en harmonie avec un luxe qui allait si bien à l'amour. Les *Quinze cents francs et ma Sophie*[1], ou la passion dans la chaumière, sont des propos d'affamés auxquels le pain bis suffit d'abord, mais qui, devenus gourmets s'ils aiment réellement, finissent par regretter les richesses de la gastronomie. L'amour a le travail et la misère en horreur. Il aime mieux mourir que de vivoter. La plupart des femmes, en rentrant du bal, impatientes de se coucher, jettent autour d'elles leurs robes, leurs fleurs fanées, leurs bouquets dont l'odeur s'est flétrie. Elles laissent leurs petits souliers sous un fauteuil, marchent sur les cothurnes flottants, ôtent leurs peignes, déroulent leurs tresses sans soin d'elles-mêmes. Peu leur importe que leurs maris voient les agrafes, les doubles épingles, les

---

1. Balzac reprendra la même idée (en forme d'allusion aux amours de Diderot et de Sophie Volland) dans *Modeste Mignon* (1845) : « Il parla de son désintéressement et sut rajeunir par les grâces de son style le fameux thème : *Quinze cents francs et ma Sophie* de Diderot ou *Une chaumière et ton cœur !* de tous les amants qui connaissent bien la fortune d'un beau-père. »

artificieux crochets qui soutenaient les élégants édi-
fices de la coiffure ou de la parure. Plus de mystères,
tout tombe alors devant le mari, plus de fard pour le
mari. Le corset, la plupart du temps corset plein de
précautions, reste là, si la femme de chambre trop
endormie oublie de l'emporter. Enfin les bouf-
fants de baleine, les entournures garnies de taffetas
gommé, les chiffons menteurs, les cheveux vendus
par le coiffeur, toute la fausse femme est là, éparse.
Disjecta membra poetae[1], la poésie artificielle tant
admirée par ceux pour qui elle avait été conçue, éla-
borée, la jolie femme encombre tous les coins.
À l'amour d'un mari qui bâille, se présente alors
une femme vraie qui bâille aussi, qui vient dans
un désordre sans élégance, coiffée de nuit avec un
bonnet fripé, celui de la veille, celui du lendemain.
— Car, après tout, monsieur, si vous voulez un joli
bonnet de nuit à chiffonner tous les soirs, aug-
mentez ma pension. Et voilà la vie telle qu'elle est.
Une femme est toujours vieille et déplaisante à son
mari, mais toujours pimpante, élégante et parée
pour l'autre, pour le rival de tous les maris, pour
le monde qui calomnie ou déchire toutes les
femmes. Inspirée par un amour vrai, car l'amour a,
comme les autres êtres, l'instinct de sa conservation, Mme Jules agissait tout autrement, et trouvait,

---

1. La locution exacte est : *Disjecti membra poetae* (les morceaux du
poète dispersé), mots tirés d'un passage d'Horace (*Satires*, I, 4, 62). Un
poète traduit en prose n'est pas rendu tout entier, mais on en retrouve
encore les membres épars.

dans les constants bénéfices de son bonheur, la force nécessaire d'accomplir ces devoirs minutieux desquels il ne faut jamais se relâcher, parce qu'ils perpétuent l'amour. Ces soins, ces devoirs, ne procèdent-ils pas d'ailleurs d'une dignité personnelle qui sied à ravir ? N'est-ce pas des flatteries ? n'est-ce pas respecter en soi l'être aimé ? Donc Mme Jules avait interdit à son mari l'entrée du cabinet où elle quittait sa toilette de bal, et d'où elle sortait vêtue pour la nuit, mystérieusement parée pour les mystérieuses fêtes de son cœur. En venant dans cette chambre, toujours élégante et gracieuse, Jules y voyait une femme coquettement enveloppée dans un élégant peignoir, les cheveux simplement tordus en grosses tresses sur sa tête ; car, n'en redoutant pas le désordre, elle n'en ravissait à l'amour ni la vue ni le toucher ; une femme toujours plus simple, plus belle alors qu'elle ne l'était pour le monde ; une femme qui s'était ranimée dans l'eau, et dont tout l'artifice consistait à être plus blanche que ses mousselines, plus fraîche que le plus frais parfum, plus séduisante que la plus habile courtisane, enfin toujours tendre, et partant toujours aimée. Cette admirable entente du métier de femme fut le grand secret de Joséphine pour plaire à Napoléon, comme il avait été jadis celui de Césonie pour Caïus Caligula, de Diane de Poitiers pour Henry II. Mais s'il fut largement productif pour des femmes qui comptaient sept ou huit lustres, quelle arme entre les mains de jeunes femmes ! Un

mari subit alors avec délices les bonheurs de sa
fidélité.

Or, en rentrant après cette conversation, qui
l'avait glacée d'effroi et qui lui donnait encore les
plus vives inquiétudes, Mme Jules prit un soin particulier de sa toilette de nuit. Elle voulut se faire et se
fit ravissante. Elle avait serré la batiste du peignoir,
entrouvert son corsage, laissé tomber ses cheveux
noirs sur ses épaules rebondies; son bain parfumé
lui donnait une senteur enivrante; ses pieds nus
étaient dans des pantoufles de velours. Forte de ses
avantages, elle vint à pas menus, et mit ses mains
sur les yeux de Jules, qu'elle trouva pensif, en robe
de chambre, le coude appuyé sur la cheminée, un
pied sur la barre. Elle lui dit alors à l'oreille en
l'échauffant de son haleine, et la mordant du bout
des dents : « À quoi pensez-vous, monsieur ? » Puis
le serrant avec adresse, elle l'enveloppa de ses bras,
pour l'arracher à ses mauvaises pensées. La femme
qui aime a toute l'intelligence de son pouvoir; et
plus elle est vertueuse, plus agissante est sa coquetterie.

« À toi, répondit-il.

— À moi seule ?

— Oui !

— Oh ! voilà un oui bien hasardé. »

Ils se couchèrent. En s'endormant Mme Jules se
dit : « Décidément, M. de Maulincour sera la cause
de quelque malheur. Jules est préoccupé, distrait,
et garde des pensées qu'il ne me dit pas. » Il était

environ trois heures du matin lorsque Mme Jules
fut réveillée par un pressentiment qui l'avait frappée au cœur pendant son sommeil. Elle eut une per-
ception à la fois physique et morale de l'absence de
son mari. Elle ne sentait plus le bras que Jules lui
passait sous la tête, ce bras dans lequel elle dormait
heureuse, paisible, depuis cinq années, et qu'elle ne
fatiguait jamais. Puis une voix lui avait dit : « Jules
souffre, Jules pleure… » Elle leva la tête, se mit sur
son séant, trouva la place de son mari froide, et
l'aperçut assis devant le feu, les pieds sur le garde-
cendre, la tête appuyée sur le dos d'un grand fauteuil. Jules avait des larmes sur les joues. La pauvre
femme se jeta vivement à bas du lit, et sauta d'un
bond sur les genoux de son mari.

« Jules, qu'as-tu ? souffres-tu ? parle ! dis ! dis-
moi ! Parle-moi, si tu m'aimes. » En un moment elle
lui jeta cent paroles qui exprimaient la tendresse la
plus profonde.

Jules se mit aux pieds de sa femme, lui baisa les
genoux, les mains, et lui répondit en laissant échapper de nouvelles larmes :

« Ma chère Clémence, je suis bien malheureux !
Ce n'est pas aimer que de se défier de sa maîtresse,
et tu es ma maîtresse. Je t'adore en te soupçonnant… Les paroles que cet homme m'a dites ce soir
m'ont frappé au cœur ; elles y sont restées malgré
moi pour me bouleverser. Il y a là-dessous quelque
mystère. Enfin, j'en rougis, tes explications ne
m'ont pas satisfait. Ma raison me jette des lueurs

que mon amour me fait repousser. C'est un affreux combat. Pouvais-je rester là, tenant ta tête en y soupçonnant des pensées qui me seraient inconnues ? — Oh ! je te crois, je te crois, lui cria-t-il vivement en la voyant sourire avec tristesse, et ouvrir la bouche pour parler. Ne me dis rien, ne me reproche rien. De toi, la moindre parole me tuerait. D'ailleurs pourrais-tu me dire une seule chose que je ne me sois dite depuis trois heures ? Oui, depuis trois heures, je suis là, te regardant dormir, si belle, admirant ton front si pur et si paisible. Oh ! oui, tu m'as toujours dit toutes tes pensées, n'est-ce pas ? Je suis seul dans ton âme. En te contemplant, en plongeant mes yeux dans les tiens, j'y vois bien tout. Ta vie est toujours aussi pure que ton regard est clair. Non, il n'y a pas de secret derrière cet œil si transparent. » Il se souleva, et la baisa sur les yeux. « Laisse-moi t'avouer, ma chère créature, que depuis cinq ans ce qui grandissait chaque jour mon bonheur, c'était de ne te savoir aucune de ces affections naturelles qui prennent toujours un peu sur l'amour. Tu n'avais ni sœur, ni père, ni mère, ni compagne, et je n'étais alors ni au-dessus ni au-dessous de personne dans ton cœur : j'y étais seul. Clémence, répète-moi toutes les douceurs d'âme que tu m'as si souvent dites, ne me gronde pas, console-moi, je suis malheureux. J'ai certes un soupçon odieux à me reprocher, et toi tu n'as rien dans le cœur qui te brûle. Ma bien-aimée, dis, pouvais-je rester ainsi près de toi ? Comment deux têtes

qui sont si bien unies demeureraient-elles sur le
même oreiller quand l'une d'elles souffre et que
l'autre est tranquille… — À quoi penses-tu donc ?
s'écria-t-il brusquement en voyant Clémence son-
geuse, interdite, et qui ne pouvait retenir des larmes.
    — Je pense à ma mère, répondit-elle d'un ton
grave. Tu ne saurais connaître, Jules, la douleur de
ta Clémence obligée de se souvenir des adieux
mortuaires de sa mère, en entendant ta voix, la plus
douce des musiques ; et de songer à la solennelle
pression des mains glacées d'une mourante, en sentant la caresse des tiennes en un moment où tu m'ac-
cables des témoignages de ton délicieux amour. »
Elle releva son mari, le prit, l'étreignit avec une
force nerveuse bien supérieure à celle d'un homme,
lui baisa les cheveux et le couvrit de larmes. « Ah !
je voudrais être hachée vivante pour toi ! Dis-moi
bien que je te rends heureux, que je suis pour toi la
plus belle des femmes, que je suis mille femmes
pour toi. Mais tu es aimé comme nul homme ne le
sera jamais. Je ne sais pas ce que veulent dire les
mots *devoir* et *vertu*. Jules, je t'aime pour toi, je suis
heureuse de t'aimer, et je t'aimerai toujours mieux
jusqu'à mon dernier souffle. J'ai quelque orgueil
de mon amour, je me crois destinée à n'éprouver
qu'un sentiment dans ma vie. Ce que je vais te dire
est affreux, peut-être : je suis contente de ne pas
avoir d'enfant, et n'en souhaite point. Je me sens
plus épouse que mère. Eh bien, as-tu des craintes ?
Écoute-moi, mon amour, promets-moi d'oublier,

non pas cette heure mêlée de tendresse et de doutes, mais les paroles de ce fou. Jules, je le veux. Promets-moi de ne le point voir, de ne point aller chez lui. J'ai la conviction que si tu fais un seul pas de plus dans ce dédale, nous roulerons dans un abîme où je périrai, mais en ayant ton nom sur les lèvres et ton cœur dans mon cœur. Pourquoi me mets-tu donc si haut en ton âme, et si bas en réalité ? Comment, toi qui fais crédit à tant de gens de leur fortune, tu ne me ferais pas l'aumône d'un soupçon ; et, pour la première occasion dans ta vie où tu peux me prouver une foi sans bornes, tu me détrônerais de ton cœur ! Entre un fou et moi, c'est le fou que tu crois, oh ! Jules. » Elle s'arrêta, chassa les cheveux qui retombaient sur son front et sur son cou ; puis, d'un accent déchirant, elle ajouta : « J'en ai trop dit, un mot devait suffire. Si ton âme et ton front conservent un nuage, quelque léger qu'il puisse être, sache-le bien, j'en mourrai ! »

Elle ne put réprimer un frémissement, et pâlit.

« Oh ! je tuerai cet homme », se dit Jules en saisissant sa femme et la portant dans son lit.

« Dormons en paix, mon ange, reprit-il, j'ai tout oublié, je te le jure. »

Clémence s'endormit sur cette douce parole, plus doucement répétée. Puis Jules, la regardant endormie, se dit en lui-même : « Elle a raison, quand l'amour est si pur, un soupçon le flétrit. Pour cette âme si fraîche, pour cette fleur si tendre, une flétrissure, oui, ce doit être la mort. »

Quand, entre deux êtres pleins d'affection l'un pour l'autre, et dont la vie s'échange à tout moment, un nuage est survenu, quoique ce nuage se dissipe, il laisse dans les âmes quelques traces de son passage. Ou la tendresse devient plus vive, comme la terre est plus belle après la pluie, ou la secousse retentit encore, comme un lointain tonnerre dans un ciel pur ; mais il est impossible de se retrouver dans sa vie antérieure, et il faut que l'amour croisse ou qu'il diminue. Au déjeuner, M. et Mme Jules eurent l'un pour l'autre de ces soins dans lesquels il entre un peu d'affectation. C'était de ces regards pleins d'une gaieté presque forcée, et qui semblent être l'effort de gens empressés à se tromper eux-mêmes. Jules avait des doutes involontaires, et sa femme avait des craintes certaines. Néanmoins, sûrs l'un de l'autre, ils avaient dormi. Cet état de gêne était-il dû à un défaut de foi, au souvenir de leur scène nocturne ? Ils ne le savaient pas eux-mêmes. Mais ils s'étaient aimés, ils s'aimaient trop purement pour que l'impression à la fois cruelle et bienfaisante de cette nuit ne laissât pas quelques traces dans leurs âmes ; jaloux tous deux de les faire disparaître et voulant revenir tous les deux *le premier* l'un à l'autre, ils ne pouvaient s'empêcher de songer à la cause première d'un premier désaccord. Pour des âmes aimantes, ce n'est pas des chagrins, la peine est loin encore ; mais c'est une sorte de deuil difficile à peindre. S'il y a des rapports entre les couleurs et les agitations de l'âme ; si, comme l'a dit

l'aveugle de Locke[1], l'écarlate doit produire à la vue
les effets produits dans l'ouïe par une fanfare, il peut
être permis de comparer à des teintes grises cette
mélancolie de contrecoup. Mais l'amour attristé,
l'amour auquel il reste un sentiment vrai de son bonheur momentanément troublé, donne des voluptés
qui, tenant à la peine et à la joie, sont toutes nouvelles. Jules étudiait la voix de sa femme, il en épiait
les regards avec le sentiment jeune qui l'animait
dans les premiers moments de sa passion pour elle.
Les souvenirs de cinq années tout heureuses, la
beauté de Clémence, la naïveté de son amour, effa-
cèrent alors promptement les derniers vestiges
d'une intolérable douleur. Ce lendemain était un
dimanche, jour où il n'y avait ni Bourse ni affaire ;
les deux époux passèrent alors la journée ensemble,
se mettant plus avant au cœur l'un de l'autre qu'ils
n'y avaient jamais été, semblables à deux enfants
qui, dans un moment de peur, se serrent, se pressent
et se tiennent, s'unissant par instinct. Il y a dans une
vie à deux de ces journées complètement heureuses,
dues au hasard, et qui ne se rattachent ni à la veille,

---

1. John Locke (1632-1704), auteur de l'*Essai philosophique sur l'en-
tendement humain*. Dans le Livre II, chapitre IX de cet essai (« De la per-
ception »), le philosophe se pose la question de savoir ce que percevrait
un aveugle habitué à distinguer les choses par le moyen du toucher s'il
venait à recouvrer la vue. Mais c'est dans *Les Soirées de Saint-Pétersbourg* de Joseph de Maistre que Balzac aura trouvé l'anecdote de cet
aveugle-né parvenant à cette conclusion *que le cramoisi ressemblait
infiniment au son de la trompette*. L'idée de correspondances entre les
perceptions visuelles, tactiles et auditives se retrouve également dans *La
Lettre sur les aveugles* de Diderot.

ni au lendemain, fleurs éphémères !… Jules et Clémence en jouirent délicieusement, comme s'ils eus-
sent pressenti que c'était la dernière journée de leur
vie amoureuse. Quel nom donner à cette puissance
inconnue qui fait hâter le pas des voyageurs sans
que l'orage se soit encore manifesté, qui fait res-
plendir de vie et de beauté le mourant quelques jours
avant sa mort et lui inspire les plus riants projets, qui
conseille au savant de hausser sa lampe nocturne
au moment où elle l'éclaire parfaitement, qui fait
craindre à une mère le regard trop profond jeté sur
son enfant par un homme perspicace ? Nous subis-
sons tous cette influence dans les grandes catastrophes de notre vie, et nous ne l'avons encore ni
nommée ni étudiée : c'est plus que le pressentiment,
et ce n'est pas encore la vision. Tout alla bien jusqu'au lendemain. Le lundi, Jules Desmarets, obligé
d'être à la Bourse à son heure accoutumée, ne sortit
pas sans aller, suivant son habitude, demander à sa
femme si elle voulait profiter de sa voiture.

« Non, dit-elle, il fait trop mauvais temps pour se
promener. »

En effet, il pleuvait à verse. Il était environ deux
heures et demie quand M. Desmarets se rendit au
Parquet et au Trésor. À quatre heures, en sortant de
la Bourse, il se trouva nez à nez devant M. de Maulincour, qui l'attendait là avec la pertinacité[1] fiévreuse que donnent la haine et la vengeance.

---

[1] Opiniâtreté en quelque chose, entêtement. Vient du latin *pertinax*.

« Monsieur, j'ai des renseignements importants à vous communiquer, dit l'officier en prenant l'agent de change par le bras. Écoutez, je suis un homme trop loyal pour avoir recours à des lettres anonymes qui troubleraient votre repos, j'ai préféré vous parler. Enfin croyez que s'il ne s'agissait pas de ma vie, je ne m'immiscerais, certes, en aucune manière dans les affaires d'un ménage, quand même je pourrais m'en croire le droit.

— Si ce que vous avez à me dire concerne Mme Desmarets, répondit Jules, je vous prierai, monsieur, de vous taire.

— Si je me taisais, monsieur, vous pourriez voir avant peu Mme Jules sur les bancs de la cour d'assises, à côté d'un forçat. Faut-il me taire maintenant ? »

Jules pâlit, mais sa belle figure reprit promptement un calme faux ; puis entraînant l'officier sous un des auvents de la Bourse provisoire[1] où ils se trouvaient alors, il lui dit d'une voix que voilait une profonde émotion intérieure : « Monsieur, je vous écouterai ; mais il y aura entre nous un duel à mort si...

— Oh ! j'y consens, s'écria M. de Maulincour, j'ai pour vous la plus grande estime. Vous parlez de mort, monsieur ? Vous ignorez sans doute que votre femme m'a peut-être fait empoisonner samedi soir. Oui, monsieur, depuis avant-hier, il se passe en moi

---

1. La Bourse fut inaugurée en 1826 ; dans les années qui précédèrent les opérations se faisaient sous des hangars proches.

quelque chose d'extraordinaire ; mes cheveux me distillent intérieurement à travers le crâne une fièvre et une langueur mortelle, et je sais parfaitement que[1] homme a touché mes cheveux pendant le bal. »

M. de Maulincour raconta, sans en omettre un seul fait, et son amour platonique pour Mme Jules, et les détails de l'aventure qui commence cette scène. Tout le monde l'eût écoutée avec autant d'attention que l'agent de change ; mais le mari de Mme Jules avait le droit d'en être plus étonné que qui que ce fût au monde. Là se déploya son caractère, il fut plus surpris qu'abattu. Devenu juge, et juge d'une femme adorée, il trouva dans son âme la droiture du juge, comme il en prit l'inflexibilité. Amant encore, il songea moins à sa vie brisée qu'à celle de cette femme ; il écouta, non sa propre douleur, mais la voix lointaine qui lui criait : « Clémence ne saurait mentir ! Pourquoi te trahirait-elle ? »

« Monsieur, dit l'officier aux gardes en terminant, certain d'avoir reconnu, samedi soir, dans M. de Funcal, ce Ferragus que la police croit mort, j'ai mis aussitôt sur ses traces un homme intelligent. En revenant chez moi, je me suis souvenu, par un heureux hasard, du nom de Mme Meynardie, cité dans la lettre de cette Ida, la maîtresse présumée de mon persécuteur. Muni de ce seul renseignement, mon émissaire me rendra promptement compte de cette épouvantable aventure, car il est plus habile à découvrir la vérité que ne l'est la police elle-même.

— Monsieur, répondit l'agent de change, je ne saurais vous remercier de cette confidence. Vous m'annoncez des preuves, des témoins, je les attendrai. Je poursuivrai courageusement la vérité dans cette affaire étrange, mais vous me permettrez de douter jusqu'à ce que l'évidence des faits me soit prouvée. En tout cas, vous aurez satisfaction, car vous devez comprendre qu'il nous en faut une. »

M. Jules revint chez lui.

« Qu'as-tu, Jules ? lui dit sa femme, tu es pâle à faire peur.

— Le temps est froid », dit-il en marchant d'un pas lent dans cette chambre où tout parlait de bonheur et d'amour, cette chambre si calme où se préparait une tempête meurtrière.

« Tu n'es pas sortie aujourd'hui », reprit-il machinalement en apparence.

Il fut poussé sans doute à faire cette question par la dernière des mille pensées qui s'étaient secrètement enroulées dans une méditation lucide, quoique précipitamment activée par la jalousie.

« Non », répondit-elle avec un faux accent de candeur.

En ce moment, Jules aperçut dans le cabinet de toilette de sa femme quelques gouttes d'eau sur le chapeau de velours qu'elle mettait le matin. M. Jules était un homme violent, mais aussi plein de délicatesse, et il lui répugna de placer sa femme en face d'un démenti. Dans une telle situation, tout doit être fini pour la vie entre certains êtres. Cependant ces gouttes d'eau furent comme une lueur qui lui déchira la cervelle. Il sortit de sa chambre, descendit à la loge, et dit à son concierge, après s'être assuré qu'il y était seul : « Fouquereau, cent écus de rente si tu dis vrai, chassé si tu me trompes, et rien si, m'ayant dit la vérité, tu parles de ma question et de ta réponse. »

Il s'arrêta pour bien voir son concierge qu'il attira sous le jour de la fenêtre, et reprit : « Madame est-elle sortie ce matin ?

— Madame est sortie à trois heures moins un quart, et je crois l'avoir vue rentrer il y a une demi-heure.

— Cela est vrai, sur ton honneur ?

— Oui, monsieur.

— Tu auras la rente que je t'ai promise ; mais si tu parles, souviens-toi de ma promesse ! alors tu perdrais tout. »

Jules revint chez sa femme.

« Clémence, lui dit-il, j'ai besoin de mettre un peu d'ordre dans mes comptes de maison, ne t'offense donc pas de ce que je vais te demander. Ne t'ai-je pas remis quarante mille francs depuis le commencement de l'année ?

— Plus, dit-elle. Quarante-sept.

— En trouverais-tu bien l'emploi ?

— Mais oui, dit-elle. D'abord, j'avais à payer plusieurs mémoires de l'année dernière… »

« Je ne saurai rien ainsi, se dit Jules, je m'y prends mal. »

En ce moment le valet de chambre de Jules entra, et lui remit une lettre qu'il ouvrit par contenance ; mais il la lut avec avidité lorsqu'il eut jeté les yeux sur la signature.

« MONSIEUR,

» Dans l'intérêt de votre repos et du nôtre, j'ai pris le parti de vous écrire sans avoir l'avantage d'être connue de vous ; mais ma position, mon âge et la crainte de quelque malheur me forcent à vous prier d'avoir de l'indulgence dans une conjoncture fâcheuse où se trouve notre famille désolée. M. Auguste de Maulincour nous a donné depuis quelques jours des preuves d'aliénation mentale, et nous craignons qu'il ne trouble votre bonheur par des chimères dont il nous a entretenus, M. le commandeur de Pamiers et moi, pendant un premier accès de fièvre. Nous vous prévenons donc de sa maladie, sans doute guérissable encore, elle a des effets si graves et si importants pour l'honneur de notre famille et l'avenir de mon petit-fils, que je compte sur votre entière discrétion. Si M. le commandeur ou moi, monsieur, avions pu nous transporter chez vous, nous nous serions dispensés de vous écrire ; mais je ne doute pas que vous n'ayez égard à la prière qui vous est faite ici par une mère de brûler cette lettre.

» Agréez l'assurance
de ma parfaite considération.

» BARONNE DE MAULINCOUR, née DE RIEUX. »

« Combien de tortures ! s'écria Jules.

— Mais que se passe-t-il donc en toi ? lui dit sa femme en témoignant une vive anxiété.

— J'en suis arrivé, répondit Jules, à me demander si c'est toi qui me fais parvenir cet avis pour dissiper mes soupçons, reprit-il en lui jetant la lettre. Ainsi juge de mes souffrances ?

— Le malheureux, dit Mme Jules en laissant tomber le papier, je le plains, quoiqu'il me fasse bien du mal.

— Tu sais qu'il m'a parlé ?

— Ah ! tu es allé le voir malgré ta parole, dit-elle frappée de terreur.

— Clémence, notre amour est en danger de périr, et nous sommes en dehors de toutes les lois ordinaires de la vie, laissons donc les petites considérations au milieu des grands périls. Écoute, dis-moi pourquoi tu es sortie ce matin. Les femmes se croient le droit de nous faire quelquefois de petits mensonges. Ne se plaisent-elles pas souvent à nous cacher des plaisirs qu'elles nous préparent ? Tout à l'heure, tu m'as dit un mot pour un autre sans doute, un non pour un oui. »

Il entra dans le cabinet de toilette, et en rapporta le chapeau.

« Tiens, vois ? sans vouloir faire ici le Bartholo[1],

---

1. Tuteur de Rosine trahie par son doigt taché d'encre (*Le Barbier de Séville*, acte II, sc. XI).

ton chapeau t'a trahie. Ces taches ne sont-elles pas des gouttes de pluie ? Donc tu es sortie en fiacre, et tu as reçu ces gouttes d'eau, soit en allant chercher une voiture, soit en entrant dans la maison où tu es allée, soit en la quittant. Mais une femme peut sortir de chez elle fort innocemment, même après avoir dit à son mari qu'elle ne sortirait pas. Il y a tant de raisons pour changer d'avis ! Avoir des caprices, n'est-ce pas un de vos droits ? Vous n'êtes pas obligées d'être conséquentes avec vous-mêmes. Tu auras oublié quelque chose, un service à rendre, une visite, ou quelque bonne action à faire. Mais rien n'empêche une femme de dire à son mari ce qu'elle a fait. Rougit-on jamais dans le sein d'un ami ? Eh bien ? ce n'est pas le mari jaloux qui te parle, ma Clémence, c'est l'amant, c'est l'ami, le frère. » Il se jeta passionnément à ses pieds. « Parle, non pour te justifier, mais pour calmer d'horribles souffrances. Je sais bien que tu es sortie. Eh bien, qu'as-tu fait ? où es-tu allée !

— Oui, je suis sortie, Jules, répondit-elle d'une voix altérée quoique son visage fût calme. Mais ne me demande rien de plus. Attends avec confiance, sans quoi tu te créeras des remords éternels. Jules, mon Jules, la confiance est la vertu de l'amour. Je te l'avoue, en ce moment je suis trop troublée pour te répondre ; mais je ne suis point une femme artificieuse, et je t'aime, tu le sais.

— Au milieu de tout ce qui peut ébranler la foi d'un homme, en éveiller la jalousie, car je ne suis donc pas le premier dans ton cœur, je ne suis donc pas toi-même... Eh bien, Clémence, j'aime encore mieux te croire, croire en ta voix, croire en tes yeux ! Si tu me trompes, tu mériterais...

— Oh ! mille morts, dit-elle en l'interrompant.

— Moi, je ne te cache aucune de mes pensées, et toi, tu...

— Chut, dit-elle, notre bonheur dépend de notre mutuel silence.

— Ah ! je veux tout savoir », s'écria-t-il dans un violent accès de rage.

En ce moment, des cris de femme se firent entendre, et les glapissements d'une petite voix aigre arrivèrent de l'antichambre jusqu'aux deux époux.

« J'entrerai, je vous dis ! criait-on. Oui, j'entrerai, je veux la voir, je la verrai. »

Jules et Clémence se précipitèrent dans le salon et ils virent bientôt les portes s'ouvrir avec violence. Une jeune femme se montra tout à coup, suivie de deux domestiques qui dirent à leur maître : « Monsieur, cette femme veut entrer ici malgré nous. Nous lui avons déjà dit que Madame n'y était pas. Elle nous a répondu qu'elle savait bien que Madame était sortie, mais qu'elle venait de la voir rentrer. Elle nous menace de rester à la porte de l'hôtel jusqu'à ce qu'elle ait parlé à Madame.

— Retirez-vous », dit M. Desmarets à ses gens.

« Que voulez-vous, mademoiselle ? » ajouta-t-il en se tournant vers l'inconnue.

Cette *demoiselle* était le type d'une femme qui
ne se rencontre qu'à Paris. Elle se fait à Paris,
comme la boue, comme le pavé de Paris, comme
l'eau de la Seine se fabrique à Paris, dans de grands
réservoirs à travers lesquels l'industrie la filtre dix
fois avant de la livrer aux carafes à facettes où elle
scintille et claire et pure, de fangeuse qu'elle était.
Aussi est-ce une créature véritablement originale.
Vingt fois saisie par le crayon du peintre, par le
pinceau du caricaturiste, par la plombagine du dessinateur, elle échappe à toutes les analyses, parce
qu'elle est insaisissable dans tous ses modes,
comme l'est la nature, comme l'est ce fantasque
Paris. En effet, elle ne tient au vice que par un
rayon, et s'en éloigne par les mille autres points de
la circonférence sociale. D'ailleurs, elle ne laisse
deviner qu'un trait de son caractère, le seul qui la
rende blâmable : ses belles vertus sont cachées ; son
naïf dévergondage, elle en fait gloire. Incomplè-
tement traduite dans les drames et les livres où
elle a été mise en scène avec toutes ses poésies, elle
ne sera jamais vraie que dans son grenier, parce
qu'elle sera toujours, autre part, ou calomniée ou
flattée. Riche, elle se vicie ; pauvre, elle est incom-
prise. Et cela ne saurait être autrement ! Elle a
trop de vices et trop de bonnes qualités ; elle est
trop près d'une asphyxie sublime ou d'un rire flé-
trissant ; elle est trop belle et trop hideuse ; elle
personnifie trop bien Paris, auquel elle fournit
des portières édentées, des laveuses de linge, des

balayeuses, des mendiantes, parfois des comtesses
impertinentes, des actrices admirées, des cantatrices
applaudies ; elle a même donné jadis deux quasi-
reines à la monarchie. Qui pourrait saisir un tel Pro-
tée ? Elle est toute la femme, moins que la femme,
plus que la femme. De ce vaste portrait, un peintre
de mœurs ne peut rendre que certains détails, l'ensemble est l'infini. C'était une grisette[1] de Paris,
mais la grisette dans toute sa splendeur ; la grisette
en fiacre, heureuse, jeune, belle, fraîche, mais grisette, et grisette à griffes, à ciseaux, hardie comme
une Espagnole, hargneuse comme une prude anglaise
réclamant ses droits conjugaux, coquette comme
une grande dame, plus franche et prête à tout ; une
véritable lionne sortie du petit appartement dont
elle avait tant de fois rêvé les rideaux de calicot
rouge, le meuble en velours d'Utrecht, la table
à thé, le cabaret de porcelaines à sujets peints,
la causeuse, le petit tapis de moquette, la pendule
d'albâtre et les flambeaux sous verre, la chambre
jaune, le mol édredon ; bref, toutes les joies de la
vie des grisettes : la femme de ménage, ancienne
grisette elle-même, mais grisette à moustaches et
à chevrons, les parties de spectacle, les marrons
à discrétion, les robes de soie et les chapeaux à

---

1. La grisette était à l'origine une fille du peuple vêtue d'étoffe grise
à bon marché. Par la suite le mot servit à désigner une ouvrière coquette,
parfois de mœurs faciles. C'était un personnage à la mode. Balzac lui-
même avait publié dans *le Voleur* (avril 1830) « La Grisette parvenue ».
Le caricaturiste auquel Balzac fait allusion est Henri Bonaventure Mon-
nier (1799-1877) qui a consacré l'une de ses séries aux grisettes.

gâcher ; enfin toutes les félicités calculées au comptoir des modistes, moins l'équipage, qui n'apparaît
dans les imaginations du comptoir que comme un
bâton de maréchal dans les songes du soldat. Oui,
cette grisette avait tout cela pour une affection vraie
ou malgré l'affection vraie, comme quelques autres
l'obtiennent souvent pour une heure par jour, espèce
d'impôt insouciamment acquitté sous les griffes
d'un vieillard. La jeune femme qui se trouvait en
présence de M. et Mme Jules avait le pied si découvert dans sa chaussure qu'à peine voyait-on une
légère ligne noire entre le tapis et son bas blanc.
Cette chaussure, dont la caricature parisienne rend
si bien le trait, est une grâce particulière à la grisette parisienne ; mais elle se trahit encore mieux
aux yeux de l'observateur par le soin avec lequel
ses vêtements adhèrent à ses formes, qu'ils dessi-
nent nettement. Aussı l'inconnue était-elle, pour ne
pas perdre l'expression pittoresque créée par le soldat français, ficelée dans une robe verte, à guimpe,
quı laissait deviner la beauté de son corsage, alors
parfaitement visible ; car son châle de cachemire
Ternaux[1], tombant à terre, n'était plus retenu que
par les deux bouts qu'elle gardait entortillés à demi
dans ses poignets. Elle avait une figure fine, des
joues roses, un teint blanc, des yeux gris étince-
lants, un front bombé, très proéminent, des cheveux

---

1. Ternaux, manufacturier sous la Restauration, avait acclimaté des
chèvres du Tibet et créé un genre de châle connu sous le nom de
« cachemire de Ternaux ».

soigneusement lissés qui s'échappaient de son petit chapeau, en grosses boucles sur son cou.

« Je me nomme Ida, monsieur. Et si c'est là Mme Jules, à laquelle j'ai l'avantage de parler, je venais pour lui dire tout ce que j'ai sur le cœur, *conte* elle. C'est très mal, quand on a son affaire faite, et qu'on est dans ses meubles comme vous êtes ici, de vouloir enlever à une pauvre fille un homme avec lequel j'ai contracté un mariage moral, et qui parle de réparer ses torts en m'épousant à la *mucipalité*[1]. Il y a bien assez de jolis jeunes gens dans le monde, pas vrai, monsieur ? pour se passer ses fantaisies, sans venir me prendre un homme d'âge, qui fait mon bonheur. Quien, je n'ai pas une belle hôtel, moi, j'ai mon amour ! Je *haïs* les *bel hommes* et l'argent, je suis tout cœur, et... »

Mme Jules se tourna vers son mari : « Vous me permettrez, monsieur, de ne pas en entendre davantage », dit-elle en rentrant dans sa chambre.

« Si cette dame est avec vous, j'ai fait des *brioches*[2], à ce que je vois ; mais tant pire, reprit

---

1. Une invention de Balzac pour montrer l'inculture d'Ida Gruget à qui il fait confondre municipalité et mairie, lui faisant en outre écorcher un mot trop savant pour elle.
2. Bévues, maladresses. Le *Nouveau Larousse illustré* du XIXᵉ siècle donne l'origine de cette expression populaire qui n'est plus employée aujourd'hui. À l'époque de la fondation de l'Opéra, les musiciens étaient si peu soucieux de l'exécution que la direction avait imaginé de condamner à une amende celui d'entre eux qui manquerait aux règles de l'harmonie en exécutant sa partition. Du produit de ces amendes on achetait chaque mois une énorme brioche que l'on mangeait ensemble. Quand cet usage fut connu « brioche » devint synonyme de faute, bévue.

Ida. Pourquoi vient-elle voir M. Ferragus tous les
jours ?

— Vous vous trompez, mademoiselle, dit Jules
stupéfait. Ma femme est incapable...

— Ah ! vous êtes donc mariés vous *deusse* ! dit la
grisette en manifestant quelque surprise. C'est alors
bien plus mal, monsieur, pas vrai, à une femme qui a
le bonheur d'être mariée en légitime mariage, d'avoir
des rapports avec un homme comme Henri...

— Mais quoi, Henri, dit M. Jules en prenant Ida
et l'entraînant dans une pièce voisine pour que sa
femme n'entendît plus rien.

— Eh bien, M. Ferragus...

— Mais il est mort, dit Jules.

— C'te farce ! Je suis allée à Franconi[1] avec lui
hier au soir, et il m'a ramenée, comme cela se doit.
D'ailleurs votre dame peut vous en donner des nouvelles. N'est-elle pas allée le voir à trois heures ? Je
le sais bien : je l'ai attendue dans la rue, rapport
à ce qu'un aimable homme, M. Justin, que vous
connaissez peut-être, un petit vieux qui a des bre-
loques, et qui porte un corset, m'avait prévenue
que j'avais une Mme Jules pour rivale. Ce nom-
là, monsieur, est bien connu parmi les noms de
guerre. Excusez, puisque c'est le vôtre, mais quand
Mme Jules serait une duchesse de la cour, Henri est
si riche qu'il peut satisfaire toutes ses fantaisies.

1. Le « Cirque Olympique » fondé par Franconi et situé boulevard du
Temple présentait un spectacle équestre et parfois des animaux sau-
vages.

Mon affaire est de défendre mon bien, et j'en ai le droit; car, moi, je l'aime, Henri! C'est ma *pro-mière* inclination, et il y va de mon amour et de mon sort à venir. Je ne crains rien, monsieur; je suis honnête, et je n'ai jamais menti, ni volé le bien de qui que ce soit. Ce serait une impératrice qui serait ma rivale, que j'irais à elle tout droit; et si elle m'enlevait mon mari futur, je me sens capable de la tuer, tout impératrice qu'elle serait, parce que toutes les belles femmes sont égales, monsieur...

— Assez! assez! dit Jules. Où demeurez-vous?

— Rue de la Corderie-du-Temple, n° 14, monsieur. Ida Gruget, couturière en corsets, pour vous servir, car nous en faisons beaucoup pour les messieurs.

— Et où demeure l'homme que vous nommez Ferragus?

— Mais, monsieur, dit-elle en se pinçant les lèvres, ce n'est d'abord pas un homme. C'est un monsieur plus riche que vous ne l'êtes peut-être. Mais pourquoi est-ce que vous me demandez son adresse quand votre femme la sait? Il m'a dit de ne point la donner. Est-ce que je suis obligée de vous répondre?... Je ne suis, Dieu merci, ni au confessionnal ni à la police, et je ne dépends que de moi.

— Et si je vous offrais vingt, trente, quarante mille francs pour me dire où demeure M. Ferragus?

— Ah! n, i, ni, mon petit ami, c'est fini! dit-elle en joignant à cette singulière réponse un geste popu-

laire. Il n'y a pas de somme qui me fasse dire cela.
J'ai bien l'honneur de vous saluer. Par où s'en va-
t-on donc d'ici ? »

Jules, atterré, laissa partir Ida, sans songer à elle.
Le monde entier semblait s'écrouler sous lui ; et,
au-dessus de lui, le ciel tombait en éclats.

« Monsieur est servi », lui dit son valet de
chambre.

Le valet de chambre et le valet d'office attendi-
rent dans la salle à manger pendant environ un
quart d'heure sans voir arriver leurs maîtres.

« Madame ne dînera pas, vint dire la femme de
chambre.

— Qu'y a-t-il donc, Joséphine ? demanda le valet.

— Je ne sais pas, répondit-elle. Madame pleure
et va se mettre au lit. Monsieur avait sans doute une
inclination en ville, et cela s'est découvert dans un
bien mauvais moment, entendez-vous ? Je ne répon-
drais pas de la vie de Madame. Tous les hommes
sont si gauches ! Ils vous font toujours des scènes
sans aucune précaution.

— Pas du tout, reprit le valet de chambre à voix
basse, c'est, au contraire, Madame qui… enfin vous
comprenez. Quel temps aurait donc Monsieur pour
aller en ville, lui qui depuis cinq ans n'a pas couché
une seule fois hors de la chambre de Madame ; qui
descend à son cabinet à dix heures, et n'en sort qu'à
midi pour déjeuner ! Enfin sa vie est connue, elle est
régulière, au lieu que Madame file presque tous les
jours, à trois heures, on ne sait où.

— Et Monsieur aussi, dit la femme de chambre en prenant le parti de sa maîtresse.

— Mais il va à la Bourse, Monsieur. Voilà pourtant trois fois que je l'avertis qu'il est servi, reprit le valet de chambre après une pause, et c'est comme si l'on parlait à un *terne*[1]. »

M. Jules entra.

« Où est Madame ? demanda-t-il.

— Madame va se coucher, elle a la migraine », répondit la femme de chambre en prenant un air important.

M. Jules dit alors avec beaucoup de sang-froid en s'adressant à ses gens : « Vous pouvez desservir, je vais tenir compagnie à Madame. »

Et il rentra chez sa femme qu'il trouva pleurant, mais étouffant ses sanglots dans son mouchoir.

« Pourquoi pleurez-vous ? lui dit Jules. Vous n'avez à attendre de moi ni violences ni reproches. Pourquoi me vengerais-je ? Si vous n'avez pas été fidèle à mon amour, c'est que vous n'en étiez pas digne…

— Pas digne ! » Ces mots répétés s'entendirent à travers les sanglots, et l'accent avec lequel ils furent prononcés eût attendri tout autre homme que Jules.

« Pour vous tuer, il faudrait aimer plus que je n'aime peut-être, dit-il en continuant ; mais je n'en aurais pas le courage, je me tuerais plutôt, moi, vous laissant à votre… bonheur, et à… à qui ? »

---

1. Altération de « terme » (anciennement : borne).

Il n'acheva pas.

« Se tuer », cria Clémence en se jetant aux pieds de Jules et les tenant embrassés.

Mais, lui, voulut se débarrasser de cette étreinte et secoua sa femme en la traînant jusqu'à son lit.

« Laissez-moi, dit-il.

— Non, non, Jules ! criait-elle. Si tu ne m'aimes plus, je mourrai. Veux-tu tout savoir ?

— Oui. »

Il la prit, la serra violemment, s'assit sur le bord du lit, la retint entre ses jambes ; puis, regardant d'un œil sec cette belle tête devenue couleur de feu, mais sillonnée de larmes : « Allons, dis », répéta-t-il.

Les sanglots de Clémence recommencèrent.

« Non, c'est un secret de vie et de mort. Si je le disais, je… Non, je ne puis pas. Grâce, Jules !

— Tu me trompes toujours…

— Ah ! tu ne me dis plus *vous* ! s'écria-t-elle. Oui, Jules, tu peux croire que je te trompe, mais bientôt tu sauras tout.

— Mais ce Ferragus, ce forçat que tu vas voir, cet homme enrichi par des crimes, s'il n'est pas à toi, si tu ne lui appartiens pas…

— Oh ! Jules ?…

— Eh bien, est-ce ton bienfaiteur inconnu ; l'homme auquel nous devrions notre fortune, comme on l'a déjà dit ?

— Qui a dit cela ?

— Un homme que j'ai tué en duel.

— Oh ! Dieu ! déjà une mort.

— Si ce n'est pas ton protecteur, s'il ne te donne pas de l'or, si c'est toi qui lui en portes, voyons, est-ce ton frère ?

— Eh bien, dit-elle, si cela était ? »

M. Desmarets se croisa les bras.

« Pourquoi me l'aurait-on caché ? reprit-il. Vous m'auriez donc trompé, ta mère et toi ? D'ailleurs, va-t-on chez son frère tous les jours, ou presque tous les jours, hein ? »

Sa femme était évanouie à ses pieds.

« Morte, dit-il. Et si j'avais tort ? »

Il sauta sur les cordons de sonnette, appela Joséphine et mit Clémence sur le lit.

« J'en mourrai, dit Mme Jules en revenant à elle.

— Joséphine, cria M. Desmarets, allez chercher M. Desplein. Puis vous irez après chez mon frère, en le priant de venir le plus tôt possible.

— Pourquoi votre frère ? » dit Clémence.

Jules était déjà sorti.

Pour la première fois depuis cinq ans, Mme Jules se coucha seule dans son lit, et fut contrainte de laisser entrer un médecin dans sa chambre sacrée. Ce fut deux peines bien vives. Desplein trouva Mme Jules fort mal, jamais émotion violente n'avait été plus intempestive. Il ne voulut rien préjuger, et remit au lendemain à donner son avis, après avoir ordonné quelques prescriptions qui ne furent point exécutées, les intérêts du cœur ayant fait oublier tous les soins physiques. Vers le matin, Clémence n'avait pas encore dormi. Elle était préoccupée par le sourd murmure d'une conversation qui durait depuis plusieurs heures entre les deux frères ; mais l'épaisseur des murs ne laissait arriver à son oreille aucun mot qui pût lui trahir l'objet de cette longue conférence. M. Desmarets, le notaire, s'en alla bientôt. Le calme de la nuit, puis la singulière activité de sens que donne la passion, permirent alors à Clémence d'entendre le cri d'une plume et les mouvements involontaires d'un homme occupé à écrire. Ceux qui passent habituellement les nuits, et qui ont observé les différents effets de l'acoustique par un profond silence, savent que souvent un léger retentissement est facile à percevoir dans les mêmes lieux où des murmures égaux et continus n'avaient rien de distinctible. À quatre heures le bruit cessa. Clémence se leva inquiète et tremblante. Puis, pieds nus, sans peignoir, ne pensant ni à sa moiteur, ni à l'état dans lequel elle se trouvait, la pauvre femme ouvrit heureusement la porte de communication sans la faire crier. Elle vit son mari, une plume à la main, tout endormi dans son fauteuil. Les bougies brûlaient dans les bobèches. Elle s'avança lentement, et lut sur une enveloppe déjà cachetée : CECI EST MON TESTAMENT.

Elle s'agenouilla comme devant une tombe et baisa la main de son mari qui s'éveilla soudain.

« Jules, mon ami, l'on accorde quelques jours aux criminels condamnés à mort, dit-elle en le regardant avec des yeux allumés par la fièvre et par l'amour. Ta femme innocente ne t'en demande que deux.

Laisse-moi libre pendant deux jours, et… attends ! Après, je mourrai heureuse, du moins tu me regretteras.

— Clémence, je te les accorde. »

Et, comme elle baisait les mains de son mari dans une touchante effusion de cœur, Jules, fasciné par ce cri de l'innocence, la prit et la baisa au front, tout honteux de subir encore le pouvoir de cette noble beauté.

Le lendemain, après avoir pris quelques heures de repos, Jules entra dans la chambre de sa femme, obéissant machinalement à sa coutume de ne point sortir sans l'avoir vue. Clémence dormait. Un rayon de lumière passant par les fentes les plus élevées des fenêtres tombait sur le visage de cette femme accablée. Déjà les douleurs avaient altéré son front et la fraîche rougeur de ses lèvres. L'œil d'un amant ne pouvait pas se tromper à l'aspect de quelques marbrures foncées et de la pâleur maladive qui remplaçait et le ton égal des joues et la blancheur mate du teint, deux fonds purs sur lesquels se jouaient si naïvement les sentiments de cette belle âme.

« Elle souffre, se dit Jules. Pauvre Clémence, que Dieu nous protège ! »

Il la baisa bien doucement sur le front. Elle s'éveilla, vit son mari et comprit tout ; mais, ne pouvant parler, elle lui prit la main, et ses yeux se mouillèrent de larmes.

« Je suis innocente, dit-elle en achevant son rêve.

— Tu ne sortiras pas, lui demanda Jules.

— Non, je me sens trop faible pour quitter mon lit.

— Si tu changes d'avis, attends mon retour », dit Jules.

Et il descendit à la loge.

« Fouquereau, vous surveillerez exactement votre porte, je veux connaître les gens qui entreront dans l'hôtel, et ceux qui en sortiront. »

Puis M. Jules se jeta dans un fiacre, se fit conduire à l'hôtel de Maulincour, et y demanda le baron.

« Monsieur est malade », lui dit-on.

Jules insista pour entrer, donna son nom ; et, à défaut de M. de Maulincour, il voulut voir le vidame ou la douairière. Il attendit pendant quelque temps dans le salon de la vieille baronne qui vint le trouver, et lui dit que son petit-fils était beaucoup trop indisposé pour le recevoir.

« Je connais, madame, répondit Jules, la nature de sa maladie par la lettre que vous m'avez fait l'honneur de m'écrire, et je vous prie de croire...

— Une lettre à vous, monsieur ! de moi ! s'écria la douairière en l'interrompant, mais je n'ai point écrit de lettre. Et que m'y fait-on dire, monsieur, dans cette lettre ?

— Madame, reprit Jules, ayant l'intention de venir chez M. de Maulincour aujourd'hui même, et de vous rendre cette lettre, j'ai cru pouvoir la conserver malgré l'injonction qui la termine. La voici. »

La douairière sonna pour avoir ses doubles besicles, et, lorsqu'elle eut jeté les yeux sur le papier, elle manifesta la plus grande surprise.

« Monsieur, dit-elle, mon écriture est si parfaitement imitée, que s'il ne s'agissait pas d'une affaire récente je m'y tromperais moi-même. Mon petit-fils est malade, il est vrai, monsieur ; mais sa raison n'a jamais été *le moindrement du monde* altérée. Nous sommes le jouet de quelques mauvaises gens ; cependant, je ne devine pas dans quel but a été faite cette impertinence… Vous allez voir mon petit-fils, monsieur, et vous reconnaîtrez qu'il est parfaitement sain d'esprit. »

Et elle sonna de nouveau pour faire demander au baron s'il pouvait recevoir M. Desmarets. Le valet revint avec une réponse affirmative. Jules monta chez Auguste de Maulincour, qu'il trouva dans un fauteuil, assis au coin de la cheminée, et qui, trop faible pour se lever, le salua par un geste mélancolique, le vidame de Pamiers lui tenait compagnie.

« Monsieur le baron, dit Jules, j'ai quelque chose à vous dire d'assez particulier pour désirer que nous soyons seuls.

— Monsieur, répondit Auguste, M. le commandeur sait toute cette affaire, et vous pouvez parler devant lui sans crainte.

— Monsieur le baron, reprit Jules d'une voix grave, vous avez troublé, presque détruit mon bonheur, sans en avoir le droit. Jusqu'au moment où nous verrons qui de nous peut demander ou doit accorder une réparation à l'autre, vous êtes tenu de m'aider à marcher dans la voie ténébreuse où vous m'avez jeté. Je viens donc pour apprendre de vous la demeure actuelle de l'être mystérieux qui exerce sur nos destinées une si fatale influence, et qui semble avoir à ses ordres une puissance surnaturelle. Hier, au moment où je rentrais, après avoir entendu vos aveux, voici la lettre que j'ai reçue. »

Et Jules lui présenta la fausse lettre.

« Ce Ferragus, ce Bourignard, ou ce M. de Funcal est un démon, s'écria Maulincour après l'avoir lue. Dans quel affreux dédale ai-je mis le pied ? Où vais-je ? — J'ai eu tort, monsieur, dit-il en regardant Jules ; mais la mort est, certes, la plus grande des expiations, et ma mort approche. Vous pouvez donc me demander tout ce que vous désirerez, je suis à vos ordres.

— Monsieur, vous devez savoir où demeure l'inconnu, je veux absolument, dût-il m'en coûter toute ma fortune actuelle, pénétrer ce mystère ; et, en présence d'un ennemi si cruellement intelligent, les moments sont précieux.

— Justin va vous dire tout », répondit le baron.

À ces mots, le commandeur s'agita sur sa chaise.

Auguste sonna.

« Justin n'est pas à l'hôtel, s'écria le vidame avec une précipitation qui disait beaucoup de choses.

— Hé bien, dit vivement Auguste, nos gens savent où il est, un homme montera vite à cheval pour le chercher. Votre valet est dans Paris, n'est-ce pas ? On l'y trouvera. »

Le commandeur parut visiblement troublé.

« Justin ne viendra pas, mon ami, dit le vieillard. Il est mort. Je voulais te cacher cet accident, mais…

— Mort ? s'écria M. de Maulincour, mort ? Et quand ? et comment ?

— Hier, dans la nuit. Il est allé souper avec d'anciens amis, et s'est enivré sans doute ; ses amis, pris de vin comme lui, l'auront laissé se coucher dans la rue, et une grosse voiture lui a passé sur le corps…

— Le forçat ne l'a pas manqué. Du premier coup il l'a tué, dit Auguste. Il n'a pas été si heureux avec moi, il a été obligé de s'y prendre à quatre fois. »

Jules devint sombre et pensif.

« Je ne saurai donc rien, s'écria l'agent de change après une longue pause. Votre valet a peut-être été justement puni ! N'a-t-il pas outrepassé vos ordres en calomniant Mme Desmarets dans l'esprit d'une *Ida*, dont il a réveillé la jalousie afin de la déchaîner sur nous ?

— Ah ! monsieur, dans ma colère, je lui avais abandonné Mme Jules.

— Monsieur ! s'écria le mari vivement irrité.

— Oh ! maintenant, monsieur, répondit l'officier en réclamant le silence par un geste de main, je suis prêt à tout. Vous ne ferez pas mieux que ce qui est fait, et vous ne me direz rien que ma conscience ne m'ait déjà dit. J'attends ce matin le plus célèbre professeur de toxicologie pour connaître mon sort. Si je

suis destiné à de trop grandes souffrances, ma résolution est prise, je me brûlerai la cervelle.

— Vous parlez comme un enfant, s'écria le commandeur épouvanté par le sang-froid avec lequel le
baron avait dit ces mots. Votre grand-mère mourrait
de chagrin.

— Ainsi, monsieur, dit Jules, il n'existe aucun
moyen de connaître en quel endroit de Paris demeure
cet homme extraordinaire ?

— Je crois, monsieur, répondit le vieillard, avoir
entendu dire à ce pauvre Justin que M. de Funcal
logeait à l'ambassade de Portugal ou à celle du Bré-
sil. M. de Funcal est un gentilhomme qui appartient aux deux pays. Quant au forçat, il est mort et
enterré. Votre persécuteur, quel qu'il soit, me paraît
assez puissant pour que vous l'acceptiez sous sa
nouvelle forme jusqu'au moment où vous aurez les
moyens de le confondre et de l'écraser ; mais agis-
sez avec prudence, mon cher monsieur. Si M. de
Maulincour avait suivi mes conseils, rien de tout
ceci ne serait arrivé. »

Jules se retira froidement, mais avec politesse,
et ne sut quel parti prendre pour arriver à Ferragus.
Au moment où il rentra, son concierge lui dit que
Madame était sortie pour aller jeter une lettre dans
la boîte de la petite poste, qui se trouvait en face
de la rue de Ménars. Jules se sentit humilié de reconnaître la prodigieuse intelligence avec laquelle son
concierge épousait sa cause, et l'adresse avec laquelle
il devinait les moyens de le servir. L'empressement

des inférieurs et leur habileté particulière à compromettre les maîtres qui se compromettent lui étaient connus, le danger de les avoir pour complices en quoi que ce soit, il l'avait apprécié; mais il ne put songer à sa dignité personnelle qu'au moment où il se trouva si subitement ravalé. Quel triomphe pour l'esclave incapable de s'élever jusqu'à son maître, de faire tomber le maître jusqu'à lui! Jules fut brusque et dur. Autre faute. Mais il souffrait tant! Sa vie, jusque-là si droite, si pure, devenait tortueuse; et il lui fallait maintenant ruser, mentir. Et Clémence aussi mentait et rusait. Ce moment fut un moment de dégoût. Perdu dans un abîme de pensées amères, Jules resta machinalement immobile à la porte de son hôtel. Tantôt, s'abandonnant à des idées de désespoir, il voulait fuir, quitter la France, en emportant sur son amour toutes les illusions de l'incertitude. Tantôt, ne mettant pas en doute que la lettre jetée à la poste par Clémence ne s'adressât à Ferragus, il cherchait les moyens de surprendre la réponse qu'allait y faire cet être mystérieux. Tantôt il analysait les singuliers hasards de sa vie depuis son mariage, et se demandait si la calomnie dont il avait tiré vengeance n'était pas une vérité. Enfin, revenant à la réponse de Ferragus, il se disait : « Mais cet homme si profondément habile, si logique dans ses moindres actes, qui voit, qui pressent, qui calcule et devine même nos pensées, Ferragus répondra-t-il ? Ne doit-il pas employer des moyens en harmonie avec sa puissance ? N'enverra-t-il pas sa réponse par quelque habile coquin, ou, peut-être, dans un écrin apporté par un honnête homme qui ne saura pas ce qu'il apporte, ou dans l'enveloppe des souliers qu'une ouvrière viendra livrer fort innocemment à ma femme ? Si Clémence et lui s'entendent ? » Et il se défiait de tout, et il parcourait les champs immenses, la mer sans rivage des suppositions ; puis, après avoir flotté pendant quelque temps entre mille partis contraires, il se trouva plus fort chez lui que partout ailleurs, et résolut de veiller dans sa maison, comme un formicaleo[1] au fond de sa volute sablonneuse.

« Fouquereau, dit-il à son concierge, je suis sorti pour tous ceux qui viendront me voir. Si quelqu'un veut parler à Madame ou lui apporte quelque chose, tu tinteras deux coups. Puis tu me montreras toutes les lettres qui seraient adressées ici, n'importe à qui ! »

« Ainsi, pensa-t-il en remontant dans son cabinet qui se trouvait à l'entresol, je vais au-devant des finesses de maître Ferragus. S'il envoie quelque émissaire assez rusé pour me demander afin de savoir si Madame est seule, au moins je ne serai pas joué comme un sot ! »

Il se colla aux vitres qui, dans son cabinet, donnaient sur la rue, et, par une dernière ruse que lui inspira la jalousie, il résolut de faire monter son

---

1. Le formicaleo ou fourmi-lion creuse dans le sable une fosse en entonnoir et attend au fond les insectes qui y tombent.

premier commis dans sa voiture, et de l'envoyer à
la Bourse en son lieu et place, avec une lettre pour
un agent de change de ses amis, auquel il expliqua
ses achats et ses ventes, en le priant de le remplacer. Il remit ses transactions les plus délicates au
lendemain, se moquant de la hausse et de la baisse,
et de toutes les dettes européennes. Beau privilège
de l'amour ! il écrase tout, fait tout pâlir : l'autel, le
trône et les Grands Livres. À trois heures et demie,
au moment où la Bourse est dans tout le feu des
reports, des fins courant, des primes, des fermes,
etc., M. Jules vit entrer dans son cabinet Fouquereau tout radieux.

« Monsieur, il vient de venir une vieille femme,
mais *soignée*, je dis, une fine mouche. Elle a
demandé Monsieur, a paru contrariée de ne point le
trouver, et m'a donné pour Madame une lettre que
voici. »

En proie à une angoisse fiévreuse, Jules déca-
cheta la lettre ; mais il tomba bientôt dans son fauteuil tout épuisé. La lettre était un non-sens
continuel, et il fallait en avoir la clef pour la lire.
Elle avait été écrite en chiffres.

« Va-t'en, Fouquereau. » Le concierge sortit.
« C'est un mystère plus profond que ne l'est la mer
à l'endroit où la sonde s'y perd. Ah ! c'est de
l'amour ! L'amour seul est aussi sagace, aussi ingénieux que l'est ce correspondant. Mon Dieu ! je
tuerai Clémence. »

En ce moment une idée heureuse jaillit dans sa

cervelle avec tant de force, qu'il en fut presque physiquement éclairé. Aux jours de sa laborieuse misère, avant son mariage, Jules s'était fait un ami véritable, un demi *Pechméja*[1]. L'excessive délicatesse avec laquelle il avait manié les susceptibilités d'un ami pauvre et modeste, le respect dont il l'avait entouré, l'ingénieuse adresse avec laquelle il l'avait noblement forcé de participer à son opulence sans le faire rougir, accrurent leur amitié. Jacquet[2] resta fidèle à Desmarets, malgré sa fortune.

Jacquet, homme de probité, travailleur, austère en ses mœurs, avait fait lentement son chemin dans le ministère qui consomme à la fois le plus de friponnerie et le plus de probité. Employé au ministère des Affaires étrangères, il y avait en charge la partie la plus délicate des archives. Jacquet était dans le ministère une espèce de ver luisant qui jetait la lumière à ses heures sur les correspondances

---

1. Jean Pechméja était un personnage rendu célèbre par Chamfort qui le montre, dans *Maximes, pensées, caractères et anecdotes*, mourant par dévouement pour son ami, le docteur Dubreuil, atteint d'une maladie contagieuse (cf. Pierre Citron, «Balzac lecteur de Chamfort», *L'Année balzacienne*, Garnier, 1969).

2. Un ami de Balzac, Charles-Louis-Antoine Jacquet-Duclos, est le type même de l'homme de confiance. Le 29 octobre 1833, Balzac écrit à Mme Hanska : «Tu m'as demandé de nouvelles affirmations pour tes lettres, ne m'en demande plus. Toutes les précautions sont prises pour que tout ce que tu m'as écrit soit comme des aveux d'amour confiés de cœur à cœur, entre deux caresses. Nulle trace ! la boîte de cèdre est fermée. Nulle puissance ne saurait l'ouvrir, et la personne chargée de la brûler si je mourais est un *Jacquet*, l'original de Jacquet, qui se nomme Jacquet, un de mes amis, un pauvre employé dont la probité est du fer trempé comme un sabre d'Orient.»

secrètes, en déchiffrant et classant les dépêches. Placé plus haut que le simple bourgeois, il se trouvait aux Affaires étrangères tout ce qu'il y avait de plus élevé dans les rangs subalternes, et vivait obscurément, heureux d'une obscurité qui le mettait à l'abri des revers, satisfait de payer en oboles sa dette à la patrie. Adjoint né de sa mairie, il obtenait, en style de journal, toute la considération qui lui était due. Grâce à Jules, sa position s'était améliorée par un bon mariage. Patriote inconnu, ministériel en fait, il se contentait de gémir, au coin du feu, sur la marche du gouvernement. Du reste, Jacquet était dans son ménage un roi débonnaire, un homme à parapluie, qui payait à sa femme un remise[1] dont il ne profitait jamais. Enfin, pour achever la peinture de ce *philosophe sans le savoir*[2], il n'avait pas encore soupçonné, ne devait même jamais soupçonner tout le parti qu'il pouvait tirer de sa position, en ayant pour ami intime un agent de change, et connaissant tous les matins le secret de l'État. Cet homme sublime à la manière du soldat ignoré qui meurt en sauvant Napoléon par un *qui vive*, demeurait au ministère.

En dix minutes, Jules se trouva dans le bureau de l'archiviste, Jacquet lui avança une chaise, posa méthodiquement sur sa table son garde-vue[3] en taf-

---

1. Au masculin, voiture de louage.
2. Titre d'une comédie de Sedaine (1765) contenant des tableaux de mœurs très réalistes.
3. Visière qui protégeait les yeux de la lumière.

fetas vert, se frotta les mains, prit sa tabatière, se leva en faisant craquer ses omoplates, se rehaussa le thorax et dit : « Par quel hasard ici, *mosieur Desmarets* ? Que me veux-tu ?

— Jacquet, j'ai besoin de toi pour deviner un secret, un secret de vie et de mort.

— Cela ne concerne pas la politique ?

— Ce n'est pas à toi que je le demanderais si je voulais le savoir, dit Jules. Non, c'est une affaire de ménage sur laquelle je réclame de toi le silence le plus profond.

— Claude-Joseph Jacquet, muet par état. Tu ne me connais donc pas ? dit-il en riant. C'est ma partie, la discrétion. »

Jules lui montra la lettre en lui disant : « Il faut me lire ce billet adressé à ma femme...

— Diable ! diable ! mauvaise affaire, dit Jacquet en examinant la lettre de la même manière qu'un usurier examine un effet négociable. Ah ! c'est une lettre à grille. Attends. »

Il laissa Jules seul dans le cabinet, et revint assez promptement.

« Niaiserie, mon ami ! c'est écrit avec une vieille grille dont se servait l'ambassadeur de Portugal, sous M. de Choiseul, lors du renvoi des Jésuites. Tiens, voici. »

Jacquet superposa un papier à jour, régulièrement découpé comme une de ces dentelles que les confiseurs mettent sur leurs dragées, et Jules put alors facilement lire les phrases qui restèrent à découvert.

« N'aie plus d'inquiétude, ma chère Clémence, notre bonheur ne sera plus troublé par personne, et ton mari déposera ses soupçons. Je ne puis t'aller voir. Quelque malade que tu sois, il faut avoir le courage de venir ; cherche, trouve des forces ; tu en puiseras dans ton amour. Mon affection pour toi m'a contraint de subir la plus cruelle des opérations, et il m'est impossible de bouger de mon lit. Quelques moxas[1] m'ont été appliqués hier au soir à la nuque du cou, d'une épaule à l'autre, et il a fallu les laisser brûler assez longtemps. Tu me comprends ? Mais je pensais à toi, je n'ai pas trop souffert. Pour dérouter toutes les perquisitions de Maulincour, qui ne nous persécutera plus longtemps, j'ai quitté le toit protecteur de l'ambassade, et suis à l'abri de toutes recherches, rue des Enfants-Rouges, n° 12, chez une vieille femme nommée Mme Étienne Gruget, la mère de cette Ida, qui va payer cher sa sotte incartade. Viens-y demain, à neuf heures du matin. Je suis dans une chambre à laquelle on ne parvient que par un escalier intérieur. Demande M. Camuset. À demain. Je te baise le front, ma chérie. »

Jacquet regarda Jules avec une sorte de terreur honnête, qui comportait une compassion vraie, et dit son mot favori : « Diable ! diable ! » sur deux tons différents.

---

1. Ce mot nous vient du Portugal en ayant fait un détour par l'Asie et désigne un procédé de cautérisation qui consiste à faire brûler lentement au contact de la peau diverses matières contenues dans ces mèches. Ici, il s'agit de faire disparaître les marques du forçat.

« Cela te semble clair, n'est-ce pas ? dit Jules. Eh bien, il y a dans le fond de mon cœur une voix qui plaide pour ma femme, et qui se fait entendre plus haut que toutes les douleurs de la jalousie. Je subirai jusqu'à demain le plus horrible des supplices ; mais enfin, demain, de neuf à dix heures, je saurai tout, et je serai malheureux ou heureux pour la vie. Pense à moi, Jacquet.

— Je serai chez toi demain à onze heures. Nous irons là ensemble, et je t'attendrai, si tu le veux, dans la rue. Tu peux courir des dangers, il faut près de toi quelqu'un de dévoué qui te comprenne à demi-mot et que tu puisses employer sûrement. Compte sur moi.

— Même pour m'aider à tuer quelqu'un ?

— Diable ! diable ! dit Jacquet vivement en répétant pour ainsi dire la même note musicale, j'ai deux enfants et une femme… »

Jules serra la main de Claude Jacquet et sortit. Mais il revint précipitamment.

« J'oublie la lettre, dit-il. Puis ce n'est pas tout, il faut la recacheter.

— Diable ! diable ! tu l'as ouverte sans en prendre l'empreinte ; mais le cachet s'est heureusement assez bien fendu. Va, laisse-la-moi, je te la rapporterai *secundum scripturam*[1].

— À quelle heure ?

— À cinq heures et demie…

---

1. Conformément à l'écriture.

— Si je n'étais pas encore rentré, remets-la tout bonnement au concierge, en lui disant de la monter à Madame.

— Me veux-tu demain ?

— Non. Adieu. »

Jules arriva promptement à la place de la Rotonde du Temple, il y laissa son cabriolet, et vint à pied rue des Enfants-Rouges où il examina la maison de Mme Étienne Gruget. Là, devait s'éclaircir le mystère d'où dépendait le sort de tant de personnes ; là était Ferragus et à Ferragus aboutissaient tous les fils de cette intrigue. La réunion de Mme Jules, de son mari, de cet homme, n'était-elle pas le nœud gordien de ce drame déjà sanglant, et auquel ne devait pas manquer le glaive qui dénoue les liens les plus fortement serrés ?

Cette maison était une de celles qui appartiennent au genre dit *cabajoutis*[1]. Ce nom très significatif est donné par le peuple de Paris à ces maisons composées, pour ainsi dire, de pièces de rapport. C'est presque toujours ou des habitations primitivement séparées, mais réunies par les fantaisies des différents propriétaires qui les ont successivement agrandies ; ou des maisons commencées, laissées, reprises, achevées ; maisons malheureuses qui ont passé, comme certains peuples, sous plusieurs dynas-

1. Balzac donne lui-même une longue définition de ce mot qui ne fera son entrée dans le supplément du Dictionnaire de l'Académie, qu'en 1862 : « Il se dit, dans le langage populaire, d'une vieille maison, formée de constructions qui datent de plusieurs époques. »

ties de maîtres capricieux. Ni les étages ni les
fenêtres *ne sont ensemble*, pour emprunter à la
peinture un de ses termes les plus pittoresques ;
tout y jure, même les ornements extérieurs. Le
cabajoutis est à l'architecture parisienne ce que le
capharnaüm est à l'appartement, un vrai fouillis
où l'on a jeté pêle-mêle les choses les plus discor-
dantes.

« Mme Étienne », demanda Jules à la portière.

Cette portière était logée sous la grande porte,
dans une de ces espèces de cages à poulets, petite
maison de bois montée sur des roulettes, et assez
semblable à ces cabinets que la police a construits
sur toutes les places de fiacres.

« Hein ? » fit la portière en quittant le bas qu'elle
tricotait.

À Paris, les différents sujets qui concourent à
la physionomie d'une portion quelconque de cette
monstrueuse cité s'harmonient[1] admirablement avec
le caractère de l'ensemble. Ainsi portier, concierge
ou suisse, quel que soit le nom donné à ce muscle
essentiel du monstre parisien, il est toujours conforme
au quartier dont il fait partie, et souvent il le résume.
Brodé sur toutes les coutures, oisif, le concierge
joue sur les rentes dans le faubourg Saint-Germain,
le portier a ses aises dans la Chaussée d'Antin, il lit
les journaux dans le quartier de la Bourse, il a un

---

1. En employant *harmonier* plutôt qu'*harmoniser* Balzac marque
une fois de plus son attirance pour des formes rares.

état dans le faubourg Montmartre. La portière est une ancienne prostituée dans le quartier de la prostitution ; au Marais, elle a des mœurs, elle est revêche, elle a ses lubies.

En voyant M. Jules, cette portière prit un couteau pour remuer la motte presque éteinte de sa chaufferette ; puis elle lui dit : « Vous demandez Mme Étienne, est-ce Mme Étienne Gruget ?

— Oui, dit Jules Desmarets en prenant un air presque fâché.

— Qui travaille en passementerie ?

— Oui.

— Eh bien, monsieur, dit-elle en sortant de sa cage, mettant la main sur le bras de M. Jules et le conduisant au bout d'un long boyau voûté comme une cave, vous monterez le second escalier au fond de la cour. Voyez-vous les fenêtres où il y a des *géroflées*[1] ? c'est là que reste Mme Étienne.

— Merci, madame. Croyez-vous qu'elle soit seule ?

— Mais pourquoi donc qu'elle ne serait pas seule, cette femme, elle est veuve ? »

Jules monta lestement un escalier fort obscur, dont les marches avaient des callosités formées par

---

1. La prononciation des personnes de peu d'instruction est souvent fautive et trahit une ignorance de l'orthographe. C'est ainsi que les giroflées deviennent dans la bouche de la concierge des *géroflées*. Dans une lettre à Mme Hanska, datée du 15 février 1834, Balzac écrit : « Comme je me suis juré là, avec cette volonté de bronze, de ne jamais exposer les fleurs de ma vie à être dans le pot brun où étaient les *géroflées* de la mère d'Ida, tu sais, dans *Ferragus*. »

la boue durcie qu'y laissaient les allants et les
venants. Au second étage, il vit trois portes, mais
point de *géroflées*. Heureusement, sur l'une de ces
portes, la plus huileuse et la plus brune des trois, il
lut ces mots écrits à la craie : *Ida viendra ce soir
à neuf heures.* «C'est là», se dit Jules. Il tira un
vieux cordon de sonnette tout noir, à pied de biche,
entendit le bruit étouffé d'une sonnette fêlée et
les jappements d'un petit chien asthmatique. La
manière dont les sons retentissaient dans l'intérieur
lui annonça un appartement encombré de choses
qui n'y laissaient pas subsister le moindre écho,
trait caractéristique des logements occupés par des
ouvriers, par de petits ménages, auxquels la place et
l'air manquent. Jules cherchait machinalement les
géroflées, et finit par les trouver sur l'appui extérieur d'une croisée à coulisse, entre deux plombs
empestés. Là, des fleurs ; là, un jardin long de deux
pieds, large de six pouces ; là, un grain de blé ; là,
toute la vie résumée ; mais là aussi toutes les
misères de la vie. En face de ces fleurs chétives et
des superbes tuyaux de blé, un rayon de lumière,
tombant là du ciel comme par grâce, faisait ressor-
tir la poussière, la graisse, et je ne sais quelle couleur particulière aux taudis parisiens, mille saletés
qui encadraient, vieillissaient et tachaient les murs
humides, les balustres vermoulus de l'escalier, les
châssis disjoints des fenêtres, et les portes primitivement rouges. Bientôt une toux de vieille et le
pas lourd d'une femme qui traînait péniblement des

chaussons de lisière[1] annoncèrent la mère d'Ida Gruget. Cette vieille ouvrit la porte, sortit sur le palier, leva la tête, et dit : « Ah ! c'est M. Bocquillon. Mais non. Par exemple, comme vous ressemblez à M. Bocquillon. Vous êtes son frère, peut-être. Qu'y a-t-il pour votre service ? Entrez donc, monsieur. »

Jules suivit cette femme dans une première pièce où il vit, mais en masse, des cages, des ustensiles de ménage, des fourneaux, des meubles, de petits plats de terre pleins de pâtée ou d'eau pour le chien et les chats, une horloge de bois, des couvertures, des gravures d'Eisen[2], de vieux fers entassés, mêlés, confondus de manière à produire un tableau véritablement grotesque, le vrai capharnaüm parisien, auquel ne manquaient même pas quelques numéros du *Constitutionnel*[3].

Jules, dominé par une pensée de prudence, n'écouta pas la veuve Gruget, qui lui disait : « Entrez donc ici, monsieur, vous vous chaufferez. »

Craignant d'être entendu par Ferragus, Jules se demandait s'il ne valait pas mieux conclure dans

1. Chaussons que l'on fabriquait, le plus souvent dans les prisons, avec une étoffe spéciale, rude au toucher et de faible largeur, en forme de tresse.

2. Charles-Dominique-Joseph Eisen (1720-1778), peintre et dessinateur, s'attacha surtout à la composition de petits sujets destinés à illustrer des ouvrages (*Contes* de La Fontaine, *Métamorphoses* d'Ovide, *La Henriade* de Voltaire).

3. *Le Constitutionnel*, journal libéral fondé en 1815. Thiers y fit ses débuts comme journaliste. Les campagnes que mena *Le Constitutionnel* contre Charles X préparèrent la révolution de 1830.

cette première pièce le marché qu'il venait propo-
ser à la vieille. Une poule qui sortit en caquetant
d'une soupente le tira de sa méditation secrète.
Jules avait pris sa résolution. Il suivit alors la mère
d'Ida dans la pièce à feu, où ils furent accompagnés
par le petit carlin poussif, personnage muet, qui
grimpa sur un vieux tabouret. Mme Gruget avait eu
toute la fatuité d'une demi-misère en parlant de
chauffer son hôte. Son pot-au-feu cachait complètement deux tisons notablement disjoints. L'écu-
moire gisait à terre, la queue dans les cendres. Le
chambranle de la cheminée, orné d'un Jésus de cire
mis sous une cage carrée en verre bordé de papier
bleuâtre, était encombré de laines, de bobines et
d'outils nécessaires à la passementerie. Jules examina tous les meubles de l'appartement avec une
curiosité pleine d'intérêt, et manifesta malgré lui sa
secrète satisfaction.

« Eh bien, dites donc, monsieur, est-ce que vous
voulez vous arranger de *mes meubes*? » lui dit la
veuve en s'asseyant sur un fauteuil de canne jaune
qui semblait être son quartier général. Elle y gardait
à la fois son mouchoir, sa tabatière, son tricot, des
légumes épluchés à moitié, des lunettes, un calen-
drier, des galons de livrée commencés, un jeu de
cartes grasses, et deux volumes de romans, tout cela
frappé en creux. Ce meuble, sur lequel cette vieille
descendait le fleuve de la vie, ressemblait au sac
encyclopédique que porte une femme en voyage, et
où se trouve son ménage en abrégé, depuis le por-

trait du mari jusqu'à de l'eau de mélisse pour les défaillances, des dragées pour les enfants, et du taffetas anglais pour les coupures.

Jules étudia tout. Il regarda fort attentivement le visage jaune de Mme Gruget, ses yeux gris, sans sourcils, dénués de cils, sa bouche démeublée, ses rides pleines de tons noirs, son bonnet de tulle roux, à ruches plus rousses encore, et ses jupons d'indienne troués, ses pantoufles usées, sa chaufferette brûlée, sa table chargée de plats et de soieries, d'ouvrages en coton, en laine, au milieu desquels s'élevait une bouteille de vin. Puis il se dit en lui-même : « Cette femme a quelque passion, quelques vices cachés, elle est à moi. »

« Madame, dit-il à haute voix et en lui faisant un signe d'intelligence, je viens pour vous commander des galons… » Puis il baissa la voix. « Je sais, reprit-il, que vous avez chez vous un inconnu qui prend le nom de Camuset. » La vieille le regarda soudain, sans donner la moindre marque d'étonnement. « Dites, peut-il nous entendre ? Songez qu'il s'agit de votre fortune.

— Monsieur, répondit-elle, parlez sans crainte, je n'ai personne ici. Mais j'aurais quelqu'un là-haut qu'il lui serait bien impossible de vous écouter. »

« Ah ! la vieille rusée, elle sait répondre en Normand, se dit Jules. Nous pourrons nous accorder. » « Évitez-vous la peine de mentir, madame, reprit-il. Et d'abord, sachez bien que je ne vous veux point de mal, ni à votre locataire malade de ses moxas, ni

à votre fille Ida, couturière en corsets, amie de Ferragus. Vous le voyez, je suis au courant de tout.
Rassurez-vous, je ne suis point de la police, et ne
désire rien qui puisse offenser votre conscience.
Une jeune dame viendra demain ici, de neuf à
dix heures, pour causer avec l'ami de votre fille.
Je veux être à portée de tout voir, de tout entendre, sans être ni vu ni entendu par eux. Vous m'en
fournirez les moyens, et je reconnaîtrai ce service par une somme de deux mille francs une fois
payée, et par six cents francs de rente viagère.
Mon notaire préparera devant vous, ce soir, l'acte ;
je lui remettrai votre argent, il vous le délivrera
demain, après la conférence où je veux assister, et
pendant laquelle j'acquerrai des preuves de votre
bonne foi.

— Ça pourra-t-il nuire à ma fille, mon cher
monsieur ? dit-elle en lui jetant des regards de chatte
inquiète.

— En rien, madame. Mais, d'ailleurs, il paraît
que votre fille se conduit bien mal envers vous.
Aimée par un homme aussi riche, aussi puis
sant que l'est Ferragus, il devrait lui être facile de
vous rendre plus heureuse que vous ne semblez
l'être.

— Ah ! mon cher monsieur, pas seulement un
pauvre billet de spectacle pour l'Ambigu ou la Gaîté
où elle va comme elle veut. C'est une indignité !
Une fille pour qui j'ai vendu mes couverts d'argent,
que je mange maintenant, à mon âge, dedans du

métal allemand¹, pour lui payer son apprentissage, et lui donner un état où elle ferait de l'or, si elle voulait. Car, pour ça, elle tient de moi, elle est adroite comme une fée, c'est une justice à lui rendre. Enfin, elle pourrait bien me repasser ses vieilles robes de soie, moi qu'aime tant à porter de la soie. Non, monsieur, elle va au Cadran-Bleu, dîner à cinquante francs par tête, roule en voiture comme une princesse, et se moque de sa mère comme de Colin-Tampon. Dieu de Dieu! qué jeunesse incohérente que celle que nous avons faite, c'est pas notre plus bel éloge. Une mère, monsieur, qu'est bonne mère, car j'ai caché ses inconséquences, et je l'ai toujours eue dans mon giron à m'ôter le pain de la bouche, et lui fourrer tout. Eh bien, non. Ça vient, ça vous câline, ça vous dit : "Bonjour, ma mère." Et voilà leux devoirs remplis envers l'auteur de ses jours. Va comme je te pousse. Mais elle aura des enfants, un jour ou l'autre, et elle verra ce que c'est que cette mauvaise marchandise-là, qu'on aime tout de même.

— Comment! elle ne fait rien pour vous?

— Ah! rien, non, monsieur, je ne dis pas cela, si elle ne faisait rien, ce serait par trop peu de chose. Elle me paye mon loyer, elle me donne du bois, et

---

1. Ce qu'on appelait en réalité le métal *anglais* était un mélange d'étain et d'antimoine dont on faisait des couverts à bon marché pour les personnes qui n'avaient pas les moyens de s'offrir une véritable argenterie. La culture de la veuve Gruget, imprécise en tout, lui fait qualifier d'allemand cet alliage.

trente-six francs par mois… Mais, monsieur, est-ce
qu'à mon âge, cinquante-deux ans, avec des yeux
qui me tirent le soir, je devrais encore travailler?
D'ailleurs, *porquoi* ne veut-elle pas de moi? Je lui
fais-t-y honte? qu'elle le dise tout de suite. En
vérité, faudrait s'enterrer pour ces chiens d'enfants
qui vous ont oublié rien que le temps de fermer
la porte.» Elle tira son mouchoir de sa poche, et
amena un billet de loterie qui tomba par terre; mais
elle le ramassa promptement en disant: «Quien!
c'est ma quittance de mes impositions.»

Jules devina soudain la cause de la sage parci-
monie dont se plaignait la mère, et il n'en fut que
plus certain de l'acquiescement de la veuve Gruget
au marché proposé.

«Eh bien, madame, dit-il, acceptez alors ce que
je vous offre.

— Vous disiez donc, monsieur, deux mille francs
de comptant, et six cents francs de viager?

— Madame, j'ai changé d'avis, et vous promets
seulement trois cents francs de rente viagère. L'affaire, ainsi faite, me paraît plus convenable à mes
intérêts. Mais je vous donnerai cinq mille francs
d'argent comptant. N'aimez-vous pas mieux cela?

— Dame, oui, monsieur.

— Vous aurez plus d'aisance, et vous irez à
l'Ambigu-Comique, chez Franconi, partout, à votre
aise, en fiacre.

— Ah! je n'aime point Franconi, rapport à ce
qu'on n'y parle pas. Mais, monsieur, si j'accepte,

c'est que ça sera bien avantageux à mon enfant. Enfin, je ne serai plus à ses crochets. Pauvre petite, après tout, je ne lui en veux point de ce qu'elle a du plaisir. Monsieur, faut que jeunesse s'amuse ! et donc ! Si vous m'assureriez que je ne ferai de tort à personne...

— À personne, répéta Jules. Mais, voyons, comment allez-vous vous y prendre ?

— Eh bien, monsieur, en donnant ce soir à M. Ferragus une petite infusion de têtes de pavots, il dormira bien, le cher homme ! Et il en a bon besoin, rapport à ses souffrances, car il souffre, que c'est une pitié. Mais aussi, demandez-moi ce que c'est que cette invention à un homme sain de se brûler le dos pour s'ôter un tic douloureux qui ne le tourmente que tous les deux ans. Pour en revenir à notre affaire, j'ai la clef de ma voisine, dont le logement est au-dessus du mien, et qui a une pièce mur mitoyen avec celle où couche M. Ferragus. Elle est à la campagne pour dix jours. Et donc, en faisant faire un trou, pendant la nuit, au mur de séparation, vous les entendrez et les verrez à votre aise. Je suis intime avec un serrurier, un bien aimable homme, qui raconte comme un ange, et fera cela pour moi, ni vu, ni connu.

— Voilà cent francs pour lui, soyez ce soir chez M. Desmarets, un notaire dont voici l'adresse. À neuf heures, l'acte sera prêt, mais... *motus*.

— Suffit, monsieur, comme vous dites, *momus* ! Au revoir, monsieur. »

Jules revint chez lui, presque calmé par la certitude où il était de tout savoir le lendemain. En arrivant, il trouva chez son portier la lettre parfaitement bien recachetée.

« Comment te portes-tu ? » dit-il à sa femme malgré l'espèce de froid qui les séparait.

Les habitudes de cœur sont si difficiles à quitter !

« Assez bien. Jules, reprit-elle d'une voix coquette, veux-tu dîner près de moi ?

— Oui, répondit-il en apportant la lettre, tiens, voici ce que Fouquereau m'a remis pour toi. »

Clémence, qui était pâle, rougit extrêmement en apercevant la lettre, et cette rougeur subite causa la plus vive douleur à son mari.

« Est-ce de la joie, dit-il en riant, est-ce un effet de l'attente ?

— Oh ! il y a bien des choses, dit-elle en regardant le cachet.

— Je vous laisse, madame. »

Et il descendit dans son cabinet, où il écrivit à son frère ses intentions relatives à la constitution de la rente viagère destinée à la veuve Gruget. Quand il revint, il trouva son dîner préparé sur une petite table, près du lit de Clémence, et Joséphine prête à servir.

« Si j'étais debout, avec quel plaisir je te servirais ! dit-elle quand Joséphine les eut laissés seuls. Oh ! même à genoux, reprit-elle en passant ses mains pâles dans la chevelure de Jules. Cher noble cœur, tu as été bien gracieux et bien bon pour moi tout à l'heure. Tu m'as fait là plus de bien, par ta confiance, que tous les médecins de la terre ne pourraient m'en faire par leur ordonnance. Ta délicatesse de femme, car tu sais aimer comme une femme, toi… eh bien, elle a répandu dans mon âme je ne sais quel baume qui m'a presque guérie. Il y a trêve, Jules, avance ta tête, que je la baise.»

Jules ne put se refuser au plaisir d'embrasser Clémence. Mais ce ne fut pas sans une sorte de remords au cœur, il se trouvait petit devant cette femme qu'il était toujours tenté de croire innocente. Elle avait une sorte de joie triste. Une chaste espérance brillait sur son visage à travers l'expression de ses chagrins. Ils semblaient également malheureux d'être obligés de se tromper l'un l'autre, et encore une caresse, ils allaient tout s'avouer, ne résistant pas à leurs douleurs.

«Demain soir, Clémence.

— Non, monsieur, demain à midi, vous saurez tout, et vous vous agenouillerez devant votre femme. Oh! non, tu ne t'humilieras pas, non, tu es tout pardonné; non, tu n'as pas de torts. Écoute: hier, tu m'as bien rudement brisée; mais ma vie n'aurait peut-être pas été complète sans cette angoisse, ce sera une ombre qui fera valoir des jours célestes.

— Tu m'ensorcelles, s'écria Jules, et tu me donnerais des remords.

— Pauvre ami, la destinée est plus haute que nous, et je ne suis pas complice de ma destinée. Je sortirai demain.

— À quelle heure ? demanda Jules.

— À neuf heures et demie.

— Clémence, répondit M. Desmarets, prends bien des précautions, consulte le docteur Desplein et le vieil Haudry.

— Je ne consulterai que mon cœur et mon courage.

— Je te laisse libre, et ne viendrai te voir qu'à midi.

— Tu ne me tiendras pas un peu compagnie ce soir, je ne suis plus souffrante ?... »

Après avoir terminé ses affaires, Jules revint près de sa femme, ramené par une attraction invincible. Sa passion était plus forte que toutes ses douleurs.

CHAPITRE IV

OÙ ALLER MOURIR ?

Le lendemain, vers neuf heures, Jules s'échappa de chez lui, courut à la rue des Enfants-Rouges, monta, et sonna chez la veuve Gruget.

« Ah ! vous êtes de parole, exact comme l'aurore. Entrez donc, monsieur, lui dit la vieille passementière en le reconnaissant. Je vous ai apprêté une tasse de café à la crème, au cas où…, reprit-elle quand la porte fut fermée. Ah ! de la vraie crème, un petit pot que j'ai vu traire moi-même à la vacherie que nous avons dans le marché des Enfants-Rouges.

— Merci, madame, non, rien. Menez-moi…

— Bien, bien, mon cher monsieur. Venez par ici. »

La veuve conduisit Jules dans une chambre située au-dessus de la sienne, et où elle lui montra, triomphalement, une ouverture grande comme une pièce de quarante sous, pratiquée pendant la nuit à une place correspondant aux rosaces les plus hautes et les plus obscures du papier tendu dans la chambre de Ferragus. Cette ouverture se trouvait, dans l'une et l'autre pièce, au-dessus d'une armoire. Les légers dégâts faits par le serrurier n'avaient donc laissé de traces d'aucun côté du mur, et il était fort difficile d'apercevoir dans l'ombre cette espèce de meur- trière. Aussi Jules fut-il obligé, pour se maintenir là, et pour y bien voir, de rester dans une position assez fatigante, en se perchant sur un marchepied que la veuve Gruget avait eu soin d'apporter.

« Il est avec un monsieur », dit la vieille en se retirant.

Jules aperçut en effet un homme occupé à panser un cordon de plaies, produites par une certaine quantité de brûlures pratiquées sur les épaules de Ferragus, dont il reconnut la tête, d'après la des- cription que lui en avait faite M. de Maulincour.

« Quand crois-tu que je serai guéri ? demandait-il.

— Je ne sais, répondit l'inconnu ; mais, au dire des médecins, il faudra bien encore sept ou huit pansements.

— Eh bien, à ce soir, dit Ferragus en tendant la main à celui qui venait de poser la dernière bande de l'appareil.

— À ce soir, répondit l'inconnu en serrant cor- dialement la main de Ferragus. Je voudrais te voir quitte de tes souffrances.

— Enfin, les papiers de M. de Funcal nous seront remis demain et Henri Bourignard est bien mort, reprit Ferragus. Les deux fatales lettres qui nous ont coûté si cher n'existent plus. Je redeviendrai donc quelque chose de social, un homme parmi les hommes, et je vaux bien le marin qu'ont mangé les poissons. Dieu sait si c'est pour moi que je me fais comte !

— Pauvre Gratien, toi, notre plus forte tête, notre frère chéri, tu es le Benjamin[1] de la bande ; tu le sais.

— Adieu ! surveillez bien mon Maulincour.

— Sois en paix sur ce point.

— Hé, marquis[2] ? cria le vieux forçat.

— Quoi ?

— Ida est capable de tout, après la scène d'hier au soir. Si elle s'est jetée à l'eau, je ne la repêcherai certes pas, elle gardera bien mieux le secret de mon nom, le seul qu'elle possède ; mais surveille-la ; car, après tout, c'est une bonne fille.

— Bien. »

L'inconnu se retira. Dix minutes après, M. Jules n'entendit pas sans avoir un frisson de fièvre le bruissement particulier aux robes de soie, et reconnut presque le bruit des pas de sa femme.

« Eh bien, mon père, dit Clémence. Pauvre père, comment allez-vous ? Quel courage !

— Viens, mon enfant », répondit Ferragus en lui tendant la main.

Et Clémence lui présenta son front, qu'il embrassa.

« Voyons, qu'as-tu, pauvre petite ? Quels chagrins nouveaux...

---

1. Fils chéri de Jacob. Par extension et sans égard à l'ordre de naissance on a longtemps appelé ainsi l'enfant chéri, le fils préféré.
2. On suppose qu'il s'agit du marquis de Ronquerolles.

— Des chagrins, mon père, mais c'est la mort de votre fille que vous aimez tant. Comme je vous l'écrivais hier, il faut absolument que dans votre tête, si fertile en idées, vous trouviez le moyen de voir mon pauvre Jules, aujourd'hui même. Si vous saviez comme il a été bon pour moi, malgré des soupçons, en apparence, si légitimes ! Mon père, mon amour c'est ma vie. Voulez-vous me voir mourir ? Ah ! j'ai déjà bien souffert ! et, je le sens, ma vie est en danger.

— Te perdre, ma fille, dit Ferragus, te perdre par la curiosité d'un misérable Parisien ! Je brûlerais Paris. Ah ! tu sais ce qu'est un amant, mais tu ne sais pas ce qu'est un père.

— Mon père, vous m'effrayez quand vous me regardez ainsi. Ne mettez pas en balance deux sentiments si différents. J'avais un époux avant de savoir que mon père était vivant...

— Si ton mari a mis, le premier, des baisers sur ton front, répondit Ferragus, moi, le premier, j'y ai mis des larmes... Rassure-toi, Clémence, parle à cœur ouvert. Je t'aime assez pour être heureux de savoir que tu es heureuse, quoique ton père ne soit presque rien dans ton cœur, tandis que tu remplis le sien.

— Mon Dieu, de semblables paroles me font trop de bien ! Vous vous faites aimer davantage, et il me semble que c'est voler quelque chose à Jules. Mais, mon bon père, songez donc qu'il est au désespoir. Que lui dire dans deux heures ?

— Enfant, ai-je donc attendu ta lettre pour te sauver du malheur qui te menace? Et que deviennent ceux qui s'avisent de toucher à ton bonheur, ou de se mettre entre nous? N'as-tu donc jamais reconnu la seconde providence qui veille sur toi? Tu ne sais pas que douze hommes pleins de force et d'intelligence forment un cortège autour de ton amour et de ta vie, prêts à tout pour votre conservation? Est-ce un père qui risquait la mort en allant te voir aux promenades, ou en venant t'admirer dans ton petit lit chez ta mère, pendant la nuit? est-ce le père auquel un souvenir de tes caresses d'enfant a seul donné la force de vivre, au moment où un homme d'honneur devait se tuer pour échapper à l'infamie? Est-ce MOI enfin, moi qui ne respire que par ta bouche, moi qui ne vois que par tes yeux, moi qui ne sens que par ton cœur, est-ce moi qui ne saurais pas défendre avec des ongles de lion, avec l'âme d'un père, mon seul bien, ma vie, ma fille?... Mais, depuis la mort de cet ange qui fut ta mère, je n'ai rêvé qu'à une seule chose, au bonheur de t'avouer pour ma fille, de te serrer dans mes bras à la face du ciel et de la terre, à tuer le *forçat*... » Il y eut là une légère pause... «À te donner un père, reprit-il, à pouvoir presser sans honte la main de ton mari, à vivre sans crainte dans vos cœurs, à dire à tout le monde en te voyant: "Voilà mon enfant!" enfin, à être père à mon aise!

— Ô mon père, mon père.

— Après bien des peines, après avoir fouillé le

globe, dit Ferragus en continuant, mes amis m'ont trouvé une peau d'homme à endosser. Je vais être d'ici à quelques jours M. de Funcal, un comte portugais. Va, ma chère fille, il y a peu d'hommes qui puissent à mon âge avoir la patience d'apprendre le portugais et l'anglais, que ce diable de marin savait parfaitement.

— Mon cher père !

— Tout a été prévu, et d'ici à quelques jours S. M. Jean VI, roi de Portugal, sera mon complice. Il ne te faut donc qu'un peu de patience là où ton père en a eu beaucoup. Mais moi, c'était tout simple. Que ne ferais-je pas pour récompenser ton dévouement pendant ces trois années ! Venir si religieusement consoler ton vieux père, risquer ton bonheur !

— Mon père ! » Et Clémence prit les mains de Ferragus, et les baisa.

« Allons, encore un peu de courage, ma Clémence, gardons le fatal secret jusqu'au bout. Ce n'est pas un homme ordinaire que Jules ; mais cependant savons-nous si son grand caractère et son extrême amour ne détermineraient pas une sorte de mésestime pour la fille d'un…

— Oh ! s'écria Clémence, vous avez lu dans le cœur de votre enfant, je n'ai pas d'autre peur, ajouta-t-elle d'un ton déchirant. C'est une pensée qui me glace. Mais mon père, songez que je lui ai promis la vérité dans deux heures.

— Eh bien, ma fille, dis-lui qu'il aille à l'ambassade de Portugal, voir le comte de Funcal, ton père, j'y serai.

— Et M. de Maulincour qui lui a parlé de Ferragus ? Mon Dieu, mon père, tromper, tromper, quel supplice !

— À qui le dis-tu ? Mais encore quelques jours, et il n'existera pas un homme qui puisse me démentir. D'ailleurs, M. de Maulincour doit être hors d'état de se souvenir… Voyons, folle, sèche tes larmes, et songe… »

En ce moment, un cri terrible retentit dans la chambre où était M. Jules Desmarets.

« Ma fille, ma pauvre fille ! »

Cette clameur passa par la légère ouverture pratiquée au-dessus de l'armoire, et frappa de terreur Ferragus et Mme Jules.

« Va voir ce que c'est, Clémence. »

Clémence descendit avec rapidité le petit escalier, trouva toute grande ouverte la porte de l'appartement de Mme Gruget, entendit les cris qui retentissaient dans l'étage supérieur, monta l'escalier, vint, attirée par le bruit des sanglots, jusque dans la chambre fatale, où, avant d'entrer, ces mots parvinrent à son oreille : « C'est vous, monsieur, avec vos imaginations, qui êtes cause de sa mort.

— Taisez-vous, misérable », disait Jules en mettant son mouchoir sur la bouche de la veuve Gruget, qui cria : « À l'assassin ! au secours ! »

En ce moment, Clémence entra, vit son mari, poussa un cri et s'enfuit.

« Qui sauvera ma fille, demanda la veuve Gruget après une longue pause. Vous l'avez assassinée.

— Et comment ? demanda machinalement M. Jules stupéfait d'avoir été reconnu par sa femme.

— Lisez, monsieur, cria la vieille en fondant en larmes. Y a-t-il des rentes qui puissent consoler de cela !

« Adieu, ma mère ! je te lege tout ce que j'é. Je te demande pardon de mes fotes et du dernié chagrin que je te donne en mettant fain à mes jours. Henry, que j'aime plus que moi-même, m'a dit que je faisai son malheure, et puisqu'il m'a repoussé de lui, et que j'ai perdu toutes mes espairence d'établiceman, je vai me noyer. J'irai au-dessous de Neuilly pour n'être point mise à la Morgue[1]. Si Henry ne me hait plus après que je m'ai puni par la mor, prie le de faire enterrer une povre fille dont le cœur n'a battu que pour lui, et qu'il me pardonne, car j'ai eu tort de me mélair de ce qui ne me regardai pas. Panse-lui bien ses moqca. Comme il a souffert ce povre cha. Mais j'orai pour me détruir le couraje qu'il a eu pour se faire brulai. Fais porter les corsets finis chez mes pratiques. Et prie Dieu pour votre fille.

» IDA. »

---

1. Des filets arrêtaient les noyés parisiens à Saint-Cloud.

«Portez cette lettre à M. de Funcal, celui qui est là. S'il en est encore temps, lui seul peut sauver votre fille.»

Et Jules disparut en se sauvant comme un homme qui aurait commis un crime. Ses jambes tremblaient. Son cœur élargi recevait des flots de sang plus chauds, plus copieux qu'en aucun moment de sa vie, et les renvoyait avec une force inaccoutumée. Les idées les plus contradictoires se combattaient dans son esprit, et cependant une pensée les dominait toutes. Il n'avait pas été loyal avec la personne qu'il aimait le plus, et il lui était impossible de transiger avec sa conscience dont la voix, grossissant en raison du forfait, correspondait aux cris intimes de sa passion, pendant les plus cruelles heures de doute qui l'avaient agité précédemment. Il resta durant une grande partie de la journée errant dans Paris et n'osant pas rentrer chez lui. Cet homme probe tremblait de rencontrer le front irréprochable de cette femme méconnue. Les crimes sont en raison de la pureté des consciences, et le fait qui, pour tel cœur, est à peine une faute dans la vie, prend les proportions d'un crime pour certaines âmes candides. Le mot de candeur n'a-t-il pas en effet une céleste portée ? Et la plus légère souillure empreinte au blanc vêtement d'une vierge n'en fait-elle pas quelque chose d'ignoble, autant que le sont les haillons d'un mendiant ? Entre ces deux choses, la seule différence n'est que celle du malheur à la faute. Dieu ne mesure jamais le repentir, il ne le scinde pas, et il en faut autant pour effacer une tache que pour lui faire oublier toute une vie. Ces réflexions pesaient de tout leur poids sur Jules, car les passions ne pardonnent pas plus que les lois humaines, et elles raisonnent plus juste : ne s'appuient-elles pas sur une conscience à elles, infaillible comme l'est un instinct ? Désespéré, Jules rentra chez lui, pâle, écrasé sous le sentiment de ses torts, mais exprimant, malgré lui, la joie que lui causait l'innocence de sa femme. Il entra chez elle tout palpitant, il la vit couchée, elle avait la fièvre, il vint s'asseoir près du lit, lui prit la main, la baisa, la couvrit de ses larmes.

« Cher ange, lui dit-il, quand ils furent seuls, c'est du repentir.

— Et de quoi ? » reprit-elle.

En disant cette parole, elle inclina la tête sur son oreiller, ferma les yeux et resta immobile, gardant le secret de ses souffrances pour ne pas effrayer son mari : délicatesse de mère, délicatesse d'ange. C'était toute la femme dans un mot. Le silence dura longtemps. Jules, croyant Clémence endormie, alla questionner Joséphine sur l'état de sa maîtresse.

« Madame est rentrée à demi morte, monsieur. Nous sommes allés chercher M. Haudry.

— Est-il venu ? qu'a-t-il dit ?

— Rien, monsieur. Il n'a pas paru content, a ordonné de ne laisser personne auprès de Madame, excepté la garde, et il a dit qu'il reviendrait pendant la soirée. »

M. Jules rentra doucement chez sa femme, se mit

dans un fauteuil, et resta devant le lit, immobile, les yeux attachés sur les yeux de Clémence ; quand elle soulevait ses paupières, elle le voyait aussitôt, et il s'échappait d'entre ses cils douloureux un regard tendre, plein de passion, exempt de reproche et d'amertume, un regard qui tombait comme un trait de feu sur le cœur de ce mari noblement absous et toujours aimé par cette créature qu'il tuait. La mort était entre eux un pressentiment qui les frappait également. Leurs regards s'unissaient dans une même angoisse, comme leurs cœurs s'unissaient jadis dans un même amour, également senti, également partagé. Point de questions, mais d'horribles certitudes Chez la femme, générosité parfaite ; chez le mari, remords affreux ; puis, dans les deux âmes, une même vision du dénouement, un même sentiment de la fatalité.

Il y eut un moment où, croyant sa femme endormie, Jules la baisa doucement au front, et dit après l'avoir longtemps contemplée : « Mon Dieu, laisse-moi cet ange encore assez de temps pour que je m'absolve moi-même de mes torts par une longue adoration… Fille, elle est sublime ; femme, quel mot pourrait la qualifier ? »

Clémence leva les yeux, ils étaient pleins de larmes.

« Tu me fais mal », dit-elle d'un son de voix faible.

La soirée était avancée, le docteur Haudry vint, et pria le mari de se retirer pendant sa visite. Quand il sortit, Jules ne lui fit pas une seule question, il n'eut besoin que d'un geste.

« Appelez en consultation ceux de mes confrères en qui vous aurez le plus de confiance, je puis avoir tort.

— Mais, docteur, dites-moi la vérité. Je suis homme, je saurai l'entendre ; et j'ai d'ailleurs le plus grand intérêt à la connaître pour régler certains comptes…

— Mme Jules est frappée à mort, répondit le médecin. Il y a une maladie morale qui a fait des progrès et qui complique sa situation physique, déjà si dangereuse, mais rendue plus grave encore par des imprudences : se lever pieds nus la nuit ; sortir quand je l'avais défendu ; sortir hier à pied, aujourd'hui en voiture. Elle a voulu se tuer. Cependant mon arrêt n'est pas irrévocable, il y a de la jeunesse, une force nerveuse étonnante… Il faudrait risquer le tout pour le tout par quelque réactif violent ; mais je ne prendrai jamais sur moi de l'ordonner, je ne le conseillerais même pas ; et, en consultation, je m'opposerais à son emploi. »

Jules rentra. Pendant onze jours et onze nuits, il resta près du lit de sa femme, ne prenant de sommeil que pendant le jour, la tête appuyée sur le pied de ce lit. Jamais aucun homme ne poussa plus loin que Jules la jalousie des soins et l'ambition du dévouement. Il ne souffrait pas que l'on rendît le plus léger service à sa femme ; il lui tenait toujours la main, et semblait ainsi vouloir lui communiquer de la vie. Il y eut des incertitudes, de fausses joies, de bonnes journées, un mieux, des crises, enfin les horribles nutations[1] de la Mort qui hésite, qui balance, mais qui frappe. Mme Jules trouvait toujours la force de sourire à son mari ; elle le plaignait, sachant que bientôt il serait seul. C'était une double agonie, celle de la vie, celle de l'amour ; mais la vie s'en allait faible et l'amour allait grandissant. Il y eut une nuit affreuse, celle où Clémence éprouva ce délire qui précède toujours la mort chez les créatures jeunes. Elle parla de son amour heureux, elle parla de son père, elle raconta les révélations de sa mère au lit de mort, et les obligations qu'elle lui avait imposées. Elle se débattait, non pas avec la vie, mais avec sa passion, qu'elle ne voulait pas quitter.

« Faites, mon Dieu, dit-elle, qu'il ne sache pas que je voudrais le voir mourir avec moi. »

Jules, ne pouvant soutenir ce spectacle, était en ce moment dans le salon voisin, et n'entendit pas des vœux auxquels il eût obéi.

Quand la crise fut passée, Mme Jules retrouva des forces. Le lendemain, elle redevint belle, tranquille ; elle causa, elle avait de l'espoir, elle se para comme se parent les malades. Puis elle voulut être seule pendant toute la journée, et renvoya son mari par une de ces prières faites avec tant d'instances, qu'elles sont exaucées comme on exauce les prières

---

1. « Oscillations habituelles de la tête, vulgairement appelées branlements de tête » (Littré).

des enfants. D'ailleurs, M. Jules avait besoin de
cette journée. Il alla chez M. de Maulincour, afin
de réclamer de lui le duel à mort convenu naguère
entre eux. Il ne parvint pas sans de grandes difficultés jusqu'à l'auteur de cette infortune ; mais, en
apprenant qu'il s'agissait d'une affaire d'honneur,
le vidame obéit aux préjugés qui avaient toujours
gouverné sa vie, et introduisit Jules auprès du
baron. M. Desmarets chercha le baron de Maulincour.

« Oh ! c'est bien lui, dit le commandeur en montrant un homme assis dans un fauteuil au coin
du feu.

— Qui, Jules ? » dit le mourant d'une voix cas-
sée.

Auguste avait perdu la seule qualité qui nous
fasse vivre, la mémoire. À cet aspect, M. Desmarets
recula d'horreur. Il ne pouvait reconnaître l'élégant
jeune homme dans une chose sans nom en aucun
langage, suivant le mot de Bossuet[1]. C'était en effet
un cadavre à cheveux blancs ; des os à peine couverts par une peau ridée, flétrie, desséchée ; des
yeux blancs et sans mouvement ; une bouche hideu-
sement entrouverte, comme le sont celles des fous
ou celles des débauchés tués par leurs excès.
Aucune trace d'intelligence n'existait plus ni sur le
front, ni dans aucun trait ; de même qu'il n'y avait

---

1. « Le corps... deviendra, dit Tertullien, un je ne sais quoi qui n'a
plus de nom dans aucune langue » (Bossuet, *Sermon sur la mort*). Également cité dans *Le Lys dans la vallée*.

plus, dans sa carnation molle, ni rougeur, ni apparence de circulation sanguine. Enfin, c'était un homme rapetissé, dissous, arrivé à l'état dans lequel sont ces monstres conservés au Muséum, dans les bocaux où ils flottent au milieu de l'alcool. Jules crut voir au-dessus de ce visage la terrible tête de Ferragus, et cette complète Vengeance épouvanta la Haine. Le mari se trouva de la pitié dans le cœur pour le douteux débris de ce qui avait été naguère un jeune homme.

« Le duel a eu lieu, dit le commandeur.

— Monsieur a tué bien du monde, s'écria douloureusement Jules.

— Et des personnes bien chères, ajouta le vieillard. Sa grand-mère meurt de chagrin, et je la suivrai peut-être dans la tombe. »

Le lendemain de cette visite, Mme Jules empira d'heure en heure. Elle profita d'un moment de force pour prendre une lettre sous son chevet, la présenta vivement à Jules, et lui fit un signe facile à comprendre. Elle voulait lui donner dans un baiser son dernier souffle de vie, il le prit, et elle mourut. Jules tomba demi-mort et fut emporté chez son frère. Là, comme il déplorait, au milieu de ses larmes et de son délire, l'absence qu'il avait faite la veille, son frère lui apprit que cette séparation était vivement désirée par Clémence, qui n'avait pas voulu le rendre témoin de l'appareil religieux, si terrible aux imaginations tendres, et que l'Église déploie en conférant aux moribonds les derniers sacrements.

« Tu n'y aurais pas résisté, lui dit son frère. Je n'ai pu moi-même soutenir ce spectacle et tous tes gens fondaient en larmes. Clémence était comme une sainte. Elle avait pris de la force pour nous faire ses adieux, et cette voix, entendue pour la dernière fois, déchirait le cœur. Quand elle a demandé pardon des chagrins involontaires qu'elle pouvait avoir donnés à ceux qui l'avaient servie, il y a eu un cri mêlé de sanglots, un cri...

— Assez, dit Jules, assez. »

Il voulut être seul pour lire les dernières pensées de cette femme que le monde avait admirée, et qui avait passé comme une fleur.

« Mon bien-aimé, ceci est mon testament. Pourquoi ne ferait-on pas des testaments pour les trésors du cœur, comme pour les autres biens ? Mon amour, n'était-ce pas tout mon bien ? je veux ici ne m'occuper que de mon amour : il fut toute la fortune de ta Clémence, et tout ce qu'elle peut te laisser en mourant. Jules, je suis encore aimée, je meurs heureuse. Les médecins expliquent ma mort à leur manière, moi seule en connais la véritable cause. Je te la dirai, quelque peine qu'elle puisse te faire. Je ne voudrais pas emporter dans un cœur tout à toi quelque secret qui ne te fût pas dit, alors que je meurs victime d'une discrétion nécessaire.

» Jules, j'ai été nourrie, élevée dans la plus profonde solitude, loin des vices et des mensonges du monde, par l'aimable femme que tu as connue. La société rendait justice à ses qualités de convention, par lesquelles une femme plaît à la société; mais moi, j'ai secrètement joui d'une âme céleste, et j'ai pu chérir la mère qui faisait de mon enfance une joie sans amertume, en sachant bien pourquoi je la chérissais. N'était-ce pas aimer doublement? Oui, je l'aimais, je la craignais, je la respectais, et rien ne me pesait au cœur, ni le respect, ni la crainte. J'étais tout pour elle, elle était tout pour moi. Pendant dix-neuf années, pleinement heureuses, insouciantes, mon âme, solitaire au milieu du monde qui grondait autour de moi, n'a réfléchi que la plus pure image, celle de ma mère, et mon cœur n'a battu que par elle ou pour elle. J'étais scrupuleusement pieuse, et me plaisais à demeurer pure devant Dieu. Ma mère cultivait en moi tous les sentiments nobles et fiers. Ah! j'ai plaisir à te l'avouer, Jules, je sais maintenant que j'ai été jeune fille, que je suis venue à toi vierge de cœur. Quand je suis sortie de cette profonde solitude; quand, pour la première fois, j'ai lissé mes cheveux en les ornant d'une couronne de fleurs d'amandier; quand j'ai complaisamment ajouté quelques nœuds de satin à ma robe blanche, en songeant au monde que j'allais voir, et que j'étais curieuse de voir; eh bien, Jules, cette innocente et modeste coquetterie a été faite pour toi, car, à mon entrée dans le monde, je t'ai vu, toi, le premier. Ta figure, je l'ai remarquée, elle tranchait sur toutes les autres; ta personne m'a plu; ta voix et tes manières m'ont inspiré de favorables

pressentiments ; et, quand tu es venu, que tu m'as
parlé, la rougeur sur le front, que ta voix a tremblé,
ce moment m'a donné des souvenirs dont je palpite
encore en t'écrivant aujourd'hui, que j'y songe
pour la dernière fois. Notre amour a été d'abord la
plus vive des sympathies, mais il fut bientôt mutuel-
lement deviné ; puis, aussitôt partagé, comme depuis
nous en avons également ressenti les innombrables
plaisirs. Dès lors, ma mère ne fut plus qu'en second
dans mon cœur. Je le lui disais, et elle souriait,
l'adorable femme ! Puis, j'ai été à toi, toute à toi.
Voilà ma vie, toute ma vie, mon cher époux. Et
voici ce qui me reste à te dire. Un soir, quelques
jours avant sa mort, ma mère m'a révélé le secret
de sa vie, non sans verser des larmes brûlantes. Je
t'ai bien mieux aimé, quand j'appris, avant le prêtre
chargé d'absoudre ma mère, qu'il existait des passions condamnées par le monde et par l'Église.
Mais, certes, Dieu ne doit pas être sévère quand
elles sont le péché d'âmes aussi tendres que l'était
celle de ma mère ; seulement, cet ange ne pouvait
se résoudre au repentir. Elle aimait bien, Jules, elle
était tout amour. Aussi ai-je prié tous les jours pour
elle, sans la juger. Alors je connus la cause de sa
vive tendresse maternelle ; alors je sus qu'il y avait
dans Paris un homme de qui j'étais toute la vie, tout
l'amour ; que ta fortune était son ouvrage et qu'il
t'aimait ; qu'il était exilé de la société, qu'il portait
un nom flétri, qu'il en était plus malheureux pour
moi, pour nous, que pour lui-même. Ma mère était

toute sa consolation, et ma mère mourait, je promis de la remplacer. Dans toute l'ardeur d'une âme dont rien n'avait faussé les sentiments, je ne vis que le bonheur d'adoucir l'amertume qui chagrinait les derniers moments de ma mère, et je m'engageai donc à continuer cette œuvre de charité secrète, la charité du cœur. La première fois que j'aperçus mon père, ce fut auprès du lit où ma mère venait d'expirer ; quand il releva ses yeux pleins de larmes, ce fut pour retrouver en moi toutes ses espérances mortes. J'avais juré, non pas de mentir, mais de garder le silence, et ce silence, quelle femme l'aurait rompu ? Là est ma faute, Jules, une faute expiée par la mort. J'ai douté de toi. Mais la crainte est si naturelle à la femme, et surtout à la femme qui sait tout ce qu'elle peut perdre. J'ai tremblé pour mon amour. Le secret de mon père me parut être la mort de mon bonheur, et plus j'aimais, plus j'avais peur. Je n'osais avouer ce sentiment à mon père ; c'eût été le blesser, et dans sa situation, toute blessure était vive. Mais lui, sans me le dire, il partageait mes craintes. Ce cœur tout paternel tremblait pour mon bonheur autant que je tremblais moi-même, et n'osait parler, obéissant à la même délicatesse qui me rendait muette. Oui, Jules, j'ai cru que tu pourrais un jour ne plus aimer la fille de Gratien, autant que tu aimais ta Clémence. Sans cette profonde terreur, t'aurais-je caché quelque chose, à toi qui étais même tout entier dans ce repli de mon cœur ? Le jour où cet odieux, ce malheureux officier t'a parlé, j'ai été forcée de mentir. Ce jour j'ai pour la seconde fois de ma vie connu la douleur, et cette douleur a été croissante jusqu'en ce moment où je t'entretiens pour la dernière fois. Qu'importe maintenant la situation de mon père ? Tu sais tout. J'aurais, à l'aide de mon amour, vaincu la maladie, supporté toutes les souffrances, mais je ne saurais étouffer la voix du doute. N'est-il pas possible que mon origine altère la pureté de ton amour, l'affaiblisse, le diminue ? Cette crainte, rien ne peut la détruire en moi. Telle est, Jules, la cause de ma mort. Je ne saurais vivre en redoutant un mot, un regard ; un mot que tu ne diras peut-être jamais, un regard qui ne t'échappera point ; mais que veux-tu ? je les crains. Je meurs aimée, voilà ma consolation. J'ai su que, depuis quatre ans, mon père et ses amis ont presque remué le monde, pour mentir au monde. Afin de me donner un état, ils ont acheté un mort, une réputation, une fortune, tout cela pour faire revivre un vivant, tout cela pour toi, pour nous. Nous ne devions rien en savoir. Eh bien, ma mort épargnera sans doute ce mensonge à mon père, il mourra de ma mort. Adieu donc, Jules, mon cœur est ici tout entier. T'exprimer mon amour dans l'innocence de sa terreur, n'est-ce pas te laisser toute mon âme ? Je n'aurais pas eu la force de te parler, j'ai eu celle de t'écrire. Je viens de confesser à Dieu les fautes de ma vie ; j'ai bien promis de ne plus m'occuper que du roi des cieux ; mais je n'ai pu résister au plaisir de me confesser aussi à celui

qui, pour moi, est tout sur la terre. Hélas! qui ne me
le pardonnerait, ce dernier soupir, entre la vie qui
fut et la vie qui va être? Adieu donc, mon Jules
aimé; je vais à Dieu, près de qui l'amour est toujours sans nuages, près de qui tu viendras un jour.
Là, sous son trône, réunis à jamais, nous pourrons
nous aimer pendant les siècles. Cet espoir peut seul
me consoler. Si je suis digne d'être là par avance,
de là, je te suivrai dans ta vie, mon âme t'accompa-
gnera, t'enveloppera, car tu resteras encore ici-bas,
toi. Mène donc une vie sainte pour venir sûrement
près de moi. Tu peux faire tant de bien sur cette
terre! N'est-ce pas une mission angélique pour un
être souffrant que de répandre la joie autour de lui,
de donner ce qu'il n'a pas? Je te laisse aux malheureux. Il n'y a que leurs sourires et leurs larmes
dont je ne serai point jalouse. Nous trouverons un
grand charme à ces douces bienfaisances. Ne pour-
rons-nous pas vivre encore ensemble, si tu veux
mêler mon nom, ta Clémence, à ces belles œuvres?
Après avoir aimé comme nous aimions, il n'y a
plus que Dieu, Jules. Dieu ne ment pas, Dieu ne
trompe pas. N'adore plus que lui, je le veux. Cul-
tive-le bien dans tous ceux qui souffrent, soulage
les membres endoloris de son église. Adieu, chère
âme que j'ai remplie, je te connais: tu n'aimeras
pas deux fois. Je vais donc expirer heureuse par la
pensée qui rend toutes les femmes heureuses. Oui,
ma tombe sera ton cœur. Après cette enfance que je
t'ai contée, ma vie ne s'est-elle pas écoulée dans

ton cœur? Morte, tu ne m'en chasseras jamais.
Je suis fière de cette vie unique! Tu ne m'auras
connue que dans la fleur de la jeunesse, je te laisse
des regrets sans désenchantement. Jules, c'est une
mort bien heureuse.

» Toi qui m'as si bien comprise, permets-moi
de te recommander, chose superflue sans doute,
l'accomplissement d'une fantaisie de femme, le
vœu d'une jalousie dont nous sommes l'objet. Je
te prie de brûler tout ce qui nous aura appartenu,
de détruire notre chambre, d'anéantir tout ce qui
peut être un souvenir de notre amour.

» Encore une fois, adieu, le dernier adieu, plein
d'amour, comme le sera ma dernière pensée et mon
dernier souffle. »

Quand Jules eut achevé cette lettre, il lui vint au
cœur une de ces frénésies dont il est impossible de
rendre les effroyables crises. Toutes les douleurs
sont individuelles, leurs effets ne sont soumis à
aucune règle fixe : certains hommes se bouchent
les oreilles pour ne plus rien entendre ; quelques
femmes ferment les yeux pour ne plus rien voir ;
puis, il se rencontre de grandes et magnifiques âmes
qui se jettent dans la douleur comme dans un abîme.
En fait de désespoir, tout est vrai. Jules s'échappa de
chez son frère, revint chez lui, voulant passer la nuit
près de sa femme, et voir jusqu'au dernier moment
cette créature céleste. Tout en marchant avec l'in-
souciance de la vie que connaissent les gens arrivés

au dernier degré de malheur, il concevait comment, dans l'Asie, les lois ordonnaient aux époux de ne point se survivre. Il voulait mourir. Il n'était pas encore accablé, il était dans la fièvre de la douleur. Il arriva sans obstacles, monta dans cette chambre sacrée ; il y vit sa Clémence sur le lit de mort, belle comme une sainte, les cheveux en bandeau, les mains jointes, ensevelie déjà dans son linceul. Des cierges éclairaient un prêtre en prières, Joséphine pleurant dans un coin, agenouillée, puis, près du lit, deux hommes. L'un était Ferragus. Il se tenait debout, immobile, et contemplait sa fille d'un œil sec ; sa tête, vous l'eussiez prise pour du bronze : il ne vit pas Jules. L'autre était Jacquet, Jacquet pour lequel Mme Jules avait été constamment bonne. Jacquet avait pour elle une de ces respectueuses amitiés qui réjouissent le cœur sans troubles, qui sont une passion douce, l'amour moins ses désirs et ses orages ; et il était venu religieusement payer sa dette de larmes, dire de longs adieux à la femme de son ami, baiser pour la première fois le front glacé d'une créature dont il avait tacitement fait sa sœur. Là tout était silencieux. Ce n'était ni la Mort terrible comme elle l'est dans l'église, ni la pompeuse Mort qui traverse les rues ; non, c'était la mort se glissant sous le toit domestique, la mort touchante ; c'était les pompes du cœur, les pleurs dérobés à tous les yeux. Jules s'assit près de Jacquet dont il pressa la main, et, sans se dire un mot, tous les personnages de cette scène restèrent ainsi jusqu'au matin. Quand le jour fit pâlir les cierges, Jacquet, prévoyant les scènes douloureuses qui allaient se succéder, emmena Jules dans la chambre voisine. En ce moment le mari regarda le père, et Ferragus regarda Jules. Ces deux douleurs s'interrogèrent, se sondèrent, s'entendirent par ce regard. Un éclair de fureur brilla passagèrement dans les yeux de Ferragus.

« C'est toi qui l'as tuée », pensait-il.

« Pourquoi s'être défié de moi ? » paraissait répondre l'époux.

Cette scène fut semblable à celle qui se passerait entre deux tigres reconnaissant l'inutilité d'une lutte, après s'être examinés pendant un moment d'hésitation, sans même rugir.

« Jacquet, dit Jules, tu as veillé à tout ?

— À tout, répondit le chef de bureau, mais partout me prévenait[1] un homme qui partout ordonnait et payait.

— Il m'arrache sa fille », s'écria le mari dans un violent accès de désespoir.

Il s'élança dans la chambre de sa femme ; mais le père n'y était plus. Clémence avait été mise dans un cercueil de plomb, et des ouvriers s'apprêtaient à en souder le couvercle. Jules rentra tout épouvanté de ce spectacle, et le bruit du marteau dont se servaient ces hommes le fit machinalement fondre en larmes.

« Jacquet, dit-il, il m'est resté de cette nuit ter-

---

1. Me précédait, du latin *praevenire*, prendre les devants. Littré : « venir en premier. »

rible une idée, une seule, mais une idée que je veux réaliser à tout prix. Je ne veux pas que Clémence demeure dans un cimetière de Paris. Je veux la brûler, recueillir ses cendres et la garder. Ne me dis pas un mot sur cette affaire, mais arrange-toi pour qu'elle réussisse. Je vais me renfermer dans *sa* chambre, et j'y resterai jusqu'au moment de mon départ. Toi seul entreras ici pour me rendre compte de tes démarches… Va, n'épargne rien. »

Pendant cette matinée, Mme Jules, après avoir été exposée dans une chapelle ardente, à la porte de son hôtel, fut amenée à Saint-Roch. L'église était entièrement tendue de noir. L'espèce de luxe déployé pour ce service avait attiré du monde ; car, à Paris, tout fait spectacle, même la douleur la plus vraie. Il y a des gens qui se mettent aux fenêtres pour voir comment pleure un fils en suivant le corps de sa mère, comme il y en a qui veulent être commodément placés pour voir comment tombe une tête. Aucun peuple du monde n'a eu des yeux plus voraces. Mais les curieux furent particulièrement surpris en apercevant les six chapelles latérales de Saint-Roch également tendues de noir. Deux hommes en deuil assistaient à une messe mortuaire dans chacune de ces chapelles. On ne vit au chœur, pour toute assistance, que M. Desmarets le notaire, et Jacquet ; puis, en dehors de l'enceinte, les domestiques. Il y avait, pour les flâneurs ecclésiastiques, quelque chose d'inexplicable dans une telle pompe et si peu de parenté. Jules n'avait voulu d'aucun

indifférent à cette cérémonie. La grand-messe fut
célébrée avec la sombre magnificence des messes
funèbres. Outre les desservants ordinaires de Saint-
Roch, il s'y trouvait treize prêtres venus de diverses
paroisses. Aussi jamais peut-être le *Dies irae* ne
produisit-il sur des chrétiens de hasard, fortuitement
rassemblés par la curiosité, mais avides d'émotions,
un effet plus profond, plus nerveusement glacial
que le fut l'impression produite par cette hymne, au
moment où huit voix de chantres accompagnées par
celles des prêtres et les voix des enfants de chœur
l'entonnèrent alternativement. Des six chapelles
latérales, douze autres voix d'enfants s'élevèrent
aigres de douleur, et s'y mêlèrent lamentablement.
De toutes les parties de l'église, l'effroi sourdait ;
partout, les cris d'angoisse répondaient aux cris de
terreur. Cette effrayante musique accusait des douleurs inconnues au monde, et des amitiés secrètes
qui pleuraient la morte. Jamais, en aucune religion
humaine, les frayeurs de l'âme, violemment arra-
chée du corps et tempétueusement agitée en présence de la foudroyante majesté de Dieu, n'ont été
rendues avec autant de vigueur. Devant cette clameur des clameurs, doivent s'humilier les artistes et
leurs compositions les plus passionnées. Non, rien
ne peut lutter avec ce chant qui résume les passions
humaines et leur donne une vie galvanique[1] au-delà

1. Adjectif longtemps réservé au magnétisme animal et à son action
sur l'organisme.

du cercueil, en les amenant palpitantes encore devant le Dieu vivant et vengeur. Ces cris de l'enfance, unis aux sons de voix graves, et qui comprennent alors, dans ce cantique de la mort, la vie humaine avec tous ses développements, en rappelant les souffrances du berceau, en se grossissant de toutes les peines des autres âges avec les larges accents des hommes, avec les chevrotements des vieillards et des prêtres ; toute cette stridente harmonie pleine de foudres et d'éclairs ne parle-t-elle pas aux imaginations les plus intrépides, aux cœurs les plus glacés, et même aux philosophes ! En l'entendant, il semble que Dieu tonne. Les voûtes d'aucune église ne sont froides ; elles tremblent, elles parlent, elles versent la peur par toute la puissance de leurs échos. Vous croyez voir d'innombrables morts se levant et tendant les mains. Ce n'est plus ni un père, ni une femme, ni un enfant qui sont sous le drap noir, c'est l'humanité sortant de sa poudre. Il est impossible de juger la religion catholique, apostolique et romaine, tant que l'on n'a pas éprouvé la plus profonde des douleurs, en pleurant la personne adorée qui gît sous le cénotaphe[1] ; tant que l'on n'a pas senti toutes les émotions qui vous emplissent alors le cœur, traduites par cette hymne du désespoir, par ces cris qui écrasent les âmes, par cet effroi religieux qui grandit de strophe en strophe, qui tour-

---

1. *Cénotaphe* signifie littéralement *tombeau vide*. Le mot correct serait ici *catafalque*.

noie vers le ciel, et qui épouvante, qui rapetisse, qui
élève l'âme et vous laisse un sentiment de l'éternité
dans la conscience, au moment où le dernier vers
s'achève. Vous avez été aux prises avec la grande
idée de l'infini, et alors tout se tait dans l'église. Il
ne s'y dit pas une parole ; les incrédules eux-mêmes
ne savent pas ce qu'ils ont. Le génie espagnol a pu
seul inventer ces majestés inouïes pour la plus
inouïe des douleurs. Quand la suprême cérémonie
fut achevée, douze hommes en deuil sortirent des
six chapelles, et vinrent écouter autour du cercueil
le chant d'espérance que l'Église fait entendre à
l'âme chrétienne avant d'aller en ensevelir la forme
humaine. Puis chacun de ces hommes monta dans
une voiture drapée ; Jacquet et M. Desmarets prirent
la treizième ; les serviteurs suivirent à pied. Une
heure après, les douze inconnus étaient au sommet
du cimetière nommé populairement le Père-Lachaise,
tous en cercle autour d'une fosse où le cercueil avait
été descendu, devant une foule curieuse accourue
de tous les points de ce jardin public. Puis, après
de courtes prières, le prêtre jeta quelques grains de
terre sur la dépouille de cette femme ; et les fossoyeurs, ayant demandé leur pourboire, s'empressè-
rent de combler la fosse pour aller à une autre.

Ici semble finir le récit de cette histoire ; mais
peut-être serait-elle incomplète si, après avoir
donné un léger croquis de la vie parisienne, si,
après en avoir suivi les capricieuses ondulations,
les effets de la mort y étaient oubliés. La mort, dans

Paris, ne ressemble à la mort dans aucune capitale, et peu de personnes connaissent les débats d'une douleur vraie aux prises avec la civilisation, avec l'administration parisienne. D'ailleurs, peut-être M. Jules et Ferragus XXIII intéressent-ils assez pour que le dénouement de leur vie soit dénué de froideur. Enfin beaucoup de gens aiment à se rendre compte de tout, et voudraient, ainsi que l'a dit le plus ingénieux de nos critiques, savoir par quel procédé chimique l'huile brûle dans la lampe d'Aladin[1]. Jacquet, homme administratif, s'adressa naturellement à l'autorité pour en obtenir la permission d'exhumer le corps de Mme Jules et de le brûler. Il alla parler au préfet de police, sous la protection de qui dorment les morts. Ce fonctionnaire voulut une pétition. Il fallut acheter une feuille de papier timbré, donner à la douleur une forme administrative; il fallut se servir de l'argot bureaucratique pour exprimer les vœux d'un homme accablé, auquel les paroles manquaient; il fallut traduire froidement et mettre en marge l'objet de la demande ·

Le pétitionnaire
sollicite l'incinération
de sa femme.

---

1. «Par quel procédé... Aladin» est repris de l'introduction aux *Romans et contes philosophiques* (1831) signée de Philarète Chasles mais écrite en fait par Balzac.

Voyant cela, le chef chargé de faire un rapport au
conseiller d'État, préfet de police, dit, en lisant cette
apostille, où l'*objet* de la demande était, comme il
l'avait recommandé, clairement exprimé : « Mais,
c'est une question grave ! mon rapport ne peut être
prêt que dans huit jours. »

Jules, auquel Jacquet fut forcé de parler de ce
délai, comprit ce qu'il avait entendu dire à Ferragus : brûler Paris. Rien ne lui semblait plus naturel
que d'anéantir ce réceptacle de monstruosités.

« Mais, dit-il à Jacquet, il faut aller au ministre
de l'Intérieur, et lui faire parler par ton ministre. »

Jacquet se rendit au ministère de l'Intérieur, y
demanda une audience qu'il obtint, mais à quinze
jours de date. Jacquet était un homme persistant. Il
chemina donc de bureau en bureau, et parvint au
secrétaire particulier du ministre auquel il fit parler
par le secrétaire particulier du ministre des Affaires
étrangères. Ces hautes protections aidant, il eut pour
le lendemain, une audience furtive, pour laquelle,
s'étant précautionné d'un mot de l'autocrate des
Affaires étrangères, écrit au pacha de l'Intérieur,
Jacquet espéra enlever l'affaire d'assaut. Il prépara
des raisonnements, des réponses péremptoires, des
en cas ; mais tout échoua.

« Cela ne me regarde pas, dit le ministre. La
chose concerne le préfet de police. D'ailleurs il n'y
a pas de loi qui donne aux maris la propriété des
corps de leurs femmes, ni aux pères celle de leurs
enfants. C'est grave ! Puis il y a des considérations

d'utilité publique qui veulent que ceci soit examiné. Les intérêts de la ville de Paris peuvent en souffrir. Enfin, si l'affaire dépendait immédiatement de moi, je ne pourrais pas me décider *hic et nunc*[1], il me faudrait un rapport. »

Le *Rapport* est dans l'administration actuelle ce que sont les limbes dans le christianisme. Jacquet connaissait la manie du rapport, et il n'avait pas attendu cette occasion pour gémir sur ce ridicule bureaucratique. Il savait que, depuis l'envahissement des affaires par le rapport, révolution administrative consommée en 1804, il ne s'était pas rencontré de ministre qui eût pris sur lui d'avoir une opinion, de décider la moindre chose, sans que cette opinion, cette chose eût été vannée, criblée, épluchée par les gâte-papier, les porte-grattoir et les sublimes intelligences de ses bureaux. Jacquet (il était un de ces hommes dignes d'avoir Plutarque pour biographe[2]) reconnut qu'il s'était trompé dans la marche de cette affaire, et l'avait rendue impossible en voulant procéder légalement. Il fallait simplement transporter Mme Jules à l'une des terres de Desmarets ; et, là, sous la complaisante autorité d'un maire de village, satisfaire la douleur de son ami. La légalité constitutionnelle et administrative n'enfante rien ; c'est un monstre infécond pour les

---

1. « Ici et maintenant. »
2. Pour Balzac, Plutarque est le modèle du chroniqueur sachant exprimer le caractère exemplaire ou remarquable des individus à travers une foule d'anecdotes pittoresques.

peuples, pour les rois et pour les intérêts privés ; mais les peuples ne savent épeler que les principes écrits avec du sang ; or, les malheurs de la légalité seront toujours pacifiques ; elle aplatit une nation, voilà tout. Jacquet, homme de liberté, revint alors en songeant aux bienfaits de l'arbitraire, car l'homme ne juge les lois qu'à la lueur de ses passions. Puis, quand Jacquet se vit en présence de Jules, force lui fut de le tromper[1], et le malheureux, saisi par une fièvre violente, resta pendant deux jours au lit. Le ministre parla, le soir même, dans un dîner ministériel, de la fantaisie qu'avait un Parisien de faire brûler sa femme à la manière des Romains[2]. Les cercles de Paris s'occupèrent alors pour un moment des funérailles antiques. Les choses anciennes devenant à la mode, quelques personnes trouvèrent qu'il serait beau de rétablir, pour les grands personnages, le bûcher funéraire. Cette opinion eut ses détracteurs et ses défenseurs. Les uns disaient qu'il y avait trop de grands hommes, et que cette coutume ferait renchérir le bois de chauffage, que chez un peuple aussi ambulatoire dans ses volontés que l'était le Français, il serait ridicule de voir à chaque terme un Longchamp[3] d'ancêtres

1. Le manuscrit et toutes les éditions donnent « tromper » alors que le sens exigerait plutôt « *dé*tromper ».
2. L'incinération, qui est devenue de nos jours une pratique assez répandue, ne fut autorisée en France qu'après la loi du 15 novembre 1887 sur la liberté des funérailles.
3. L'abbaye de Longchamp, située dans le bois de Boulogne, fut fréquentée sous le règne de Louis XV par la haute société qui prit l'ha-

promenés dans leurs urnes ; puis, que, si les urnes avaient de la valeur, il y avait chance de les trouver à l'encan, saisies, pleines de respectables cendres, par les créanciers, gens habitués à ne rien respecter. Les autres répondaient qu'il y aurait plus de sécurité qu'au Père-Lachaise pour les aïeux à être ainsi casés, car, dans un temps donné, la ville de Paris serait contrainte d'ordonner une Saint-Barthélemy contre ses morts qui envahissaient la campagne et menaçaient d'entreprendre un jour sur les terres de la Brie. Ce fut enfin une de ces futiles et spirituelles discussions de Paris, qui trop souvent creusent des plaies bien profondes. Heureusement pour Jules, il ignora les conversations, les bons mots, les pointes que sa douleur fournissait à Paris. Le préfet de police fut choqué de ce que M. Jacquet avait employé le ministre pour éviter les lenteurs, la sagesse de la haute voirie. L'exhumation de Mme Jules était une question de voirie. Donc le bureau de police travaillait à répondre vertement à la pétition, car il suffit d'une demande pour que l'Administration soit saisie ; or, une fois saisie, les choses vont loin, avec elle. L'Administration peut mener toutes les questions jusqu'au conseil d'État, autre machine

---

bitude de s'y rendre en pèlerinage durant la semaine sainte. Peu à peu la procession se transforma en un défilé de luxueux carrosses qui transportaient actrices et courtisanes. Sous la Restauration, l'allée de Longchamp continua d'être un lieu de rendez-vous galants. Ce défilé de belles voitures était passé dans le langage courant sous le terme de « Longchamp ».

difficile à remuer. Le second jour, Jacquet fit comprendre à son ami qu'il fallait renoncer à son projet ; que, dans une ville où le nombre des larmes brodées sur les draps noirs était tarifé, où les lois admettaient sept classes d'enterrements, où l'on vendait au poids de l'argent la terre des morts, où la douleur était exploitée, tenue en partie double, où les prières de l'église se payaient cher, où la Fabrique[1] intervenait pour réclamer le prix de quelques filets de voix ajoutées au *Dies irae*, tout ce qui sortait de l'ornière administrativement tracée à la douleur était impossible.

« C'eût été, dit Jules, un bonheur dans ma misère, j'avais formé le projet de mourir loin d'ici, et désirais tenir Clémence entre mes bras dans la tombe ! Je ne savais pas que la bureaucratie pût allonger ses ongles jusque dans nos cercueils. »

Puis il voulut aller voir s'il y avait près de sa femme un peu de place pour lui. Les deux amis se rendirent donc au cimetière. Arrivés là, ils trouvèrent, comme à la porte des spectacles ou à l'entrée des musées, comme dans la cour des diligences, des *ciceroni* qui s'offrirent à les guider dans le dédale du Père-Lachaise. Il leur était impossible, à l'un comme à l'autre, de savoir où gisait Clémence. Affreuse angoisse ! Ils allèrent consulter le portier du cimetière. Les morts ont un concierge, et il y a

---

1. Avant la séparation des églises et de l'État, l'ensemble des personnes nommées officiellement pour administrer les biens d'une paroisse.

des heures auxquelles les morts ne sont pas visibles. Il faudrait remuer tous les règlements de haute et basse police pour obtenir le droit de venir pleurer à la nuit, dans le silence et la solitude, sur la tombe où gît un être aimé. Il y a consigne pour l'hiver, consigne pour l'été. Certes, de tous les portiers de Paris, celui du Père-Lachaise est le plus heureux. D'abord, il n'a point de cordon à tirer ; puis, au lieu d'une loge, il a une maison, un établissement qui n'est pas tout à fait un ministère, quoiqu'il y ait un très grand nombre d'administrés et plusieurs employés, que ce gouverneur des morts ait un traitement et dispose d'un pouvoir immense dont personne ne peut se plaindre : il fait de l'arbitraire à son aise. Sa loge n'est pas non plus une maison de commerce, quoiqu'il ait des bureaux, une comptabilité, des recettes, des dépenses et des profits. Cet homme n'est ni un suisse, ni un concierge, ni un portier ; la porte qui reçoit les morts est toujours béante ; puis, quoiqu'il ait des monuments à conserver, ce n'est pas un conservateur ; enfin c'est une indéfinissable anomalie, autorité qui participe de tout et qui n'est rien, autorité placée, comme la mort dont elle vit, en dehors de tout. Néanmoins cet homme exceptionnel relève de la ville de Paris, être chimérique comme le vaisseau qui lui sert d'emblème, créature de raison mue par mille pattes rarement unanimes dans leurs mouvements, en sorte que ses employés sont presque inamovibles. Ce gardien du cimetière est donc le concierge arrivé à l'état de fonctionnaire, non soluble par la dissolution. Sa place n'est d'ailleurs pas une sinécure : il ne laisse inhumer personne sans un permis, il doit compte de ses morts, il indique dans ce vaste champ les six pieds carrés où vous mettrez quelque jour tout ce que vous aimez, tout ce que vous haïssez, une maîtresse, un cousin. Oui, sachez-le bien, tous les sentiments de Paris viennent aboutir à cette loge, et s'y administrationalisent. Cet homme a des registres pour coucher ses morts, ils sont dans leur tombe et dans ses cartons. Il a sous lui des gardiens, des jardiniers, des fossoyeurs, des aides. Il est un personnage. Les gens en pleurs ne lui parlent pas tout d'abord. Il ne comparaît que dans les cas graves : un mort pris pour un autre, un mort assassiné, une exhumation, un mort qui renaît. Le buste du roi régnant est dans sa salle, et il garde peut-être les anciens bustes royaux, impériaux, quasi royaux dans quelque armoire, espèce de petit Père-Lachaise pour les révolutions. Enfin, c'est un homme public, un excellent homme, bon père et bon époux, épitaphe à part. Mais tant de sentiments divers ont passé devant lui sous forme de corbillard ; mais il a tant vu de larmes, les vraies, les fausses ; mais il a vu la douleur sous tant de faces, et sur tant de faces, il a vu six millions de douleurs éternelles ! Pour lui, la douleur n'est plus qu'une pierre de onze lignes d'épaisseur et de quatre pieds de haut sur vingt-deux pouces de large. Quant aux *regrets*, ce sont les ennuis de sa charge, il ne déjeune ni ne dîne jamais sans essuyer la pluie d'une inconsolable affliction. Il est bon et tendre pour toutes les autres affections : il pleurera sur quelque héros de drame, sur M. Germeuil de *L'Auberge des Adrets*[1], l'homme à la culotte beurre frais, assassiné par Macaire ; mais son cœur s'est ossifié à l'endroit des véritables morts. Les morts sont des chiffres pour lui ; son état est d'organiser la mort. Puis enfin, il se rencontre, trois fois par siècle, une situation où son rôle devient sublime, et alors il est sublime à toute heure… en temps de peste[2].

Quand Jacquet l'aborda, ce monarque absolu rentrait assez en colère.

« J'avais dit, s'écria-t-il, d'arroser les fleurs depuis la rue Masséna jusqu'à la place Regnault de Saint-Jean-d'Angély ! Vous vous êtes moqués de cela, vous autres. Sac à papier ! si les parents s'avisent de venir aujourd'hui qu'il fait beau, ils s'en prendront à moi : ils crieront comme des brûlés, ils diront des horreurs de nous et nous calomnieront…

— Monsieur, lui dit Jacquet, nous désirerions savoir où a été inhumée Mme Jules.

— Mme Jules, *qui* ? demanda-t-il. Depuis huit jours, nous avons eu trois Mme Jules…

« Ah ! dit-il en s'interrompant et regardant à la

1. Mélodrame de Benjamin Antier, Saint-Amand et Paulyanthe (créé en 1823). Frédérick Lemaître consacra sa réputation dans le rôle de Macaire.
2. Une épidémie de choléra avait fait de nombreux morts à Paris en 1832. Ce passage consacré au Père-Lachaise et à son portier sera republié en décembre 1836 par *Le Magasin universel*.

porte, voici le convoi du colonel de Maulincour, allez chercher le permis… Un beau convoi, ma foi ! reprit-il. Il a suivi de près sa grand-mère. Il y a des familles où ils dégringolent comme par gageure. Ça vous a un si mauvais sang, ces Parisiens.

— Monsieur, lui dit Jacquet en lui frappant sur le bras, la personne dont je vous parle est Mme Jules Desmarets, la femme de l'agent de change.

— Ah ! je sais, répondit-il en regardant Jacquet. N'était-ce pas un convoi où il y avait treize voitures de deuil, et un seul parent dans chacune des douze premières ? C'était si drôle que ça nous a frappés…

— Monsieur, prenez garde. M. Jules est avec moi, il peut vous entendre, et ce que vous dites n'est pas convenable.

— Pardon, monsieur, vous avez raison. Excusez, je vous prenais pour des héritiers.

« Monsieur, reprit-il en consultant un plan du cimetière, Mme Jules est rue du Maréchal-Lefebvre, allée n° 4, entre Mlle Raucourt[1], de la Comédie-Française, et M. Moreau-Malvin, un fort boucher, pour lequel il y a un tombeau de marbre blanc de commandé, qui sera vraiment un des plus beaux de notre cimetière.

---

1. La comédienne, dont la vie fut émaillée de scandales, est bien enterrée au Père-Lachaise. Non loin de Mlle Raucourt (1756-1815) se trouvent une famille Desmares et une famille Desmarest. Il est vraisemblable que Balzac se sera livré à un véritable « repérage » pour déterminer l'emplacement de la tombe de Mme Jules. Il avait d'ailleurs pour habitude d'aller méditer dans les allées du cimetière ; il écrit à sa sœur Laure en 1819 : « Je te quitte pour aller au Père-Lachaise faire des études de douleurs. »

— Monsieur, dit Jacquet en interrompant le concierge, nous ne sommes pas plus avancés...

— C'est vrai, répondit-il en regardant tout autour de lui.

« Jean, cria-t-il à un homme qu'il aperçut, conduisez ces messieurs à la fosse de Mme Jules, la femme d'un agent de change ! Vous savez, près de Mlle Raucourt, la tombe où il y a un buste. »

Et les deux amis marchèrent sous la conduite de l'un des gardiens ; mais ils ne parvinrent pas à la route escarpée qui menait à l'allée supérieure du cimetière sans avoir essuyé plus de vingt propositions que des entrepreneurs de marbrerie, de serrurerie et de sculpture vinrent leur faire avec une grâce mielleuse.

« Si monsieur voulait faire construire *quelque chose*, nous pourrions l'arranger à bien bon marché... »

Jacquet fut assez heureux pour éviter à son ami ces paroles épouvantables pour des cœurs saignants, et ils arrivèrent au lieu du repos. En voyant cette terre fraîchement remuée, et où des maçons avaient enfoncé des fiches afin de marquer la place des dés de pierre nécessaires au serrurier pour poser sa grille, Jules s'appuya sur l'épaule de Jacquet, en se soulevant par intervalles, pour jeter de longs regards sur ce coin d'argile où il lui fallait laisser les dépouilles de l'être par lequel il vivait encore.

« Comme elle est mal là ! dit-il.

— Mais elle n'est pas là, lui répondit Jacquet,

elle est dans ta mémoire. Allons, viens, quitte cet
odieux cimetière, où les morts sont parés comme
des femmes au bal.

— Si nous l'ôtions de là ?

— Est-ce possible ?

— Tout est possible, s'écria Jules.

« Je viendrai donc là, dit-il après une pause. Il y
a de la place. »

Jacquet réussit à l'emmener de cette enceinte
divisée comme un damier par des grilles en bronze,
par d'élégants compartiments où étaient enfermés
des tombeaux tous enrichis de palmes, d'inscrip-
tions, de larmes aussi froides que les pierres dont
s'étaient servis des gens désolés pour faire sculpter
leurs regrets et leurs armes. Il y a là de bons mots
gravés en noir, des épigrammes contre les curieux,
des *concetti*[1], des adieux spirituels, des rendez-vous
pris où il ne se trouve jamais qu'une personne, des
biographies prétentieuses, du clinquant, des gue-
nilles, des paillettes. Ici des thyrses ; là, des fers de
lance ; plus loin, des urnes égyptiennes ; çà et là,
quelques canons ; partout, les emblèmes de mille
professions ; enfin tous les styles : du mauresque,
du grec, du gothique, des frises, des oves, des pein-
tures, des urnes, des génies, des temples, beaucoup
d'immortelles fanées et de rosiers morts. C'est une
infâme comédie ! c'est encore tout Paris avec ses
rues, ses enseignes, ses industries, ses hôtels ; mais

1 Expressions affectées, traits d'esprit.

vu par le verre dégrossissant de la lorgnette, un Paris microscopique, réduit aux petites dimensions des ombres, des larves, des morts, un genre humain qui n'a plus rien de grand que sa vanité. Puis Jules aperçut à ses pieds, dans la longue vallée de la Seine, entre les coteaux de Vaugirard, de Meudon, entre ceux de Belleville et de Montmartre, le véritable Paris, enveloppé d'un voile bleuâtre, produit par ses fumées, et que la lumière du soleil rendait alors diaphane. Il embrassa d'un coup d'œil furtif ces quarante mille maisons, et dit, en montrant l'espace compris entre la colonne de la place Vendôme et la coupole d'or des Invalides : « Elle m'a été enlevée là, par la funeste curiosité de ce monde qui s'agite et se presse, pour se presser et s'agiter. »

À quatre lieues de là, sur les bords de la Seine, dans un modeste village assis au penchant de l'une des collines qui dépendent de cette longue enceinte montueuse au milieu de laquelle le grand Paris se remue, comme un enfant dans son berceau, il se passait une scène de mort et de deuil, mais dégagée de toutes les pompes parisiennes, sans accompagnements de torches ni de cierges, ni de voitures drapées, sans prières catholiques, la mort toute simple. Voici le fait. Le corps d'une jeune fille était venu matinalement échouer sur la berge, dans la vase et les joncs de la Seine. Des tireurs de sable, qui allaient à l'ouvrage, l'aperçurent en montant dans leur frêle bateau. « Tiens ! cinquante francs de gagnés, dit l'un deux. — C'est vrai », dit l'autre. Et ils abordèrent auprès de la morte. «C'est une bien belle fille. — Allons faire notre déclaration.» Et les deux tireurs de sable, après avoir couvert le corps de leurs vestes, allèrent chez le maire du village, qui fut assez embarrassé d'avoir à faire le procès-verbal nécessité par cette trouvaille.

Le bruit de cet événement se répandit avec la promptitude télégraphique particulière aux pays où les communications sociales n'ont aucune interruption, et où les médisances, les bavardages, les calomnies, le conte social dont se repaît le monde ne laisse point de lacune d'une borne à une autre. Aussitôt des gens qui vinrent à la mairie tirèrent le maire de tout embarras. Ils convertirent le procès-verbal en un simple acte de décès. Par leurs soins, le corps de la fille fut reconnu pour être celui de la demoiselle Ida Gruget, couturière en corsets, demeurant rue de la Corderie-du-Temple, nº 14. La police judiciaire intervint, la veuve Gruget, mère de la défunte, arriva, munie de la dernière lettre de sa fille. Au milieu des gémissements de la mère, un médecin constata l'asphyxie par l'invasion du sang noir dans le système pulmonaire, et tout fut dit. Les enquêtes faites, les renseignements donnés, le soir, à six heures, l'autorité permit d'inhumer la grisette. Le curé du lieu refusa de la recevoir à l'église et de prier pour elle. Ida Gruget fut alors ensevelie dans un linceul par une vieille paysanne, et mise dans cette bière vulgaire, faite en planches de sapin, puis portée au cimetière par quatre hommes, et suivie de

quelques paysannes curieuses, qui se racontaient
cette mort en la commentant avec une surprise
mêlée de commisération. La veuve Gruget fut cha-
ritablement retenue par une vieille dame, qui l'empêcha de se joindre au triste convoi de sa fille. Un
homme à triples fonctions, sonneur, bedeau, fossoyeur de la paroisse, avait fait une fosse dans le
cimetière du village, cimetière d'un demi-arpent,
situé derrière l'église ; une église bien connue, église
classique, ornée d'une tour carrée à toit pointu
couvert en ardoise, soutenue à l'extérieur par des
contreforts anguleux. Derrière le rond décrit par le
chœur, se trouvait le cimetière, entouré de murs en
ruines, champ plein de monticules ; ni marbres, ni
visiteurs, mais certes sur chaque sillon des pleurs et
des regrets véritables qui manquèrent à Ida Gruget.
Elle fut jetée dans un coin parmi des ronces et de
hautes herbes. Quand la bière fut descendue dans
ce champ si poétique par sa simplicité, le fossoyeur
se trouva bientôt seul, à la nuit tombante. En com-
blant cette fosse, il s'arrêtait par intervalles pour
regarder dans le chemin, par-dessus le mur ; il y eut
un moment où, la main appuyée sur sa pioche, il
examina la Seine, qui lui avait amené ce corps.

« Pauvre fille ! s'écria un homme survenu là tout
à coup.

— Vous m'avez fait peur, monsieur ! dit le fossoyeur.

— Y a-t-il eu un service pour celle que vous
enterrez ?

— Non monsieur. M. le curé n'a pas voulu.
Voilà la première personne enterrée ici sans être de
la paroisse. Ici, tout le monde se connaît. Est-ce que
monsieur ?... Tiens, il est parti ! »

Quelques jours s'étaient écoulés, lorsqu'un
homme vêtu de noir se présenta chez M. Jules et,
sans vouloir lui parler, remit dans la chambre de sa
femme une grande urne de porphyre, sur laquelle il
lut ces mots :

INVITA LEGE,

CONJUGI MOERENTI

FILIOLAE CINERES

RESTITUIT,

AMICIS XII JUVANTIBUS,

MORIBUNDUS PATER[1].

« Quel homme ! » dit Jules en fondant en larmes.
Huit jours suffirent à l'agent de change pour obéir
à tous les désirs de sa femme, et pour mettre ordre
à ses affaires ; il vendit sa charge au frère de Martin
Falleix, et partit de Paris au moment où l'Administration discutait encore s'il était licite à un citoyen
de disposer du corps de sa femme.

---

1. « Malgré la loi, le père mourant aidé de douze amis a restitué à
l'époux affligé les cendres de sa chère fille. »

CONCLUSION

Qui n'a pas rencontré sur les boulevards de Paris, au détour d'une rue ou sous les arcades du Palais-Royal, enfin en quelque lieu du monde où le hasard veuille le présenter, un être, un homme ou femme, à l'aspect duquel mille pensées confuses naissent en l'esprit! À son aspect, nous sommes subitement intéressés ou par des traits dont la conformation bizarre annonce une vie agitée, ou par l'ensemble curieux que présentent les gestes, l'air, la démarche et les vêtements, ou par quelque regard profond, ou par d'autres *je ne sais quoi* qui saisissent fortement et tout à coup, sans que nous nous expliquions bien précisément la cause de notre émotion. Puis, le lendemain, d'autres pensées, d'autres images parisiennes emportent ce rêve passager. Mais si nous rencontrons encore le même personnage, soit passant à heure fixe, comme un employé de mairie qui appartient au mariage pendant huit heures, soit errant dans les promenades, comme ces gens qui semblent être un mobilier acquis aux rues de Paris, et que l'on retrouve dans

les lieux publics, aux premières représentations ou
chez les restaurateurs, dont ils sont le plus bel ornement, alors cette créature s'inféode à votre souvenir, et y reste comme un premier volume de roman
dont la fin nous échappe. Nous sommes tentés d'in-
terroger cet inconnu, et de lui dire : « Qui êtes-vous ?
Pourquoi flânez-vous ? De quel droit avez-vous un
col plissé, une canne à pomme d'ivoire, un gilet
passé ? Pourquoi ces lunettes bleues à doubles
verres, ou pourquoi conservez-vous la cravate des
muscadins ? » Parmi ces créations errantes, les unes
appartiennent à l'espèce des dieux Termes[1]; elles
ne disent rien à l'âme ; *elles sont là*, voilà tout
pourquoi, personne ne le sait ; c'est de ces figures
semblables à celles qui servent de type aux sculp-
teurs pour les quatre Saisons, pour le Commerce et
l'Abondance. Quelques autres, anciens avoués, vieux
négociants, antiques généraux, s'en vont, marchent
et paraissent toujours arrêtées. Semblables à des
arbres qui se trouvent à moitié déracinés au bord
d'un fleuve, elles ne semblent jamais faire partie du
torrent de Paris, ni de sa foule jeune et active. Il est
impossible de savoir si l'on a oublié de les enterrer,
ou si elles se sont échappées du cercueil ; elles sont
arrivées à un état quasi fossile. Un de ces *Melmoth*[2]

1. Terme était le dieu latin protecteur des limites, souvent représenté
par un bloc de pierre surmonté d'une tête, parfois avec des bras mais
sans jambes.
2. On retrouve ici le héros de Maturin, d'abord cité dans la préface
pour évoquer « la fantastique puissance » de Ferragus. Désormais ce
dernier n'est plus que le malheureux vagabond victime du destin. Dans

parisiens était venu se mêler depuis quelques jours
parmi la population sage et recueillie qui, lorsque
le ciel est beau, meuble infailliblement l'espace
enfermé entre la grille sud du Luxembourg et la
grille nord de l'Observatoire, espace sans genre,
espace neutre dans Paris. En effet, là, Paris n'est
plus ; et là, Paris est encore. Ce lieu tient à la fois de
la place, de la rue, du boulevard, de la fortification,
du jardin, de l'avenue, de la route, de la province,
de la capitale ; certes, il y a de tout cela ; mais ce
n'est rien de tout cela : c'est un désert. Autour de ce
lieu sans nom, s'élèvent les Enfants-Trouvés, la
Bourbe[1], l'hôpital Cochin, les Capucins, l'hospice
La Rochefoucauld, les Sourds-Muets, l'hôpital du
Val-de-Grâce ; enfin, tous les vices et tous les malheurs de Paris ont là leur asile ; et, pour que rien ne
manquât à cette enceinte philanthropique, la Science
y étudie les marées et les longitudes[2] ; M. de Chateaubriand y a mis l'infirmerie Marie-Thérèse[3] ; et
les Carmélites y ont fondé un couvent. Les grandes
situations de la vie sont représentées par les cloches

---

son *Melmoth réconcilié* (1835) qui doit finalement peu au roman de
l'écrivain irlandais, Balzac imaginera un John Melmoth se libérant du
pacte qu'il a passé avec Satan en revendant à plus crédule que lui les
pouvoirs surnaturels qu'il avait acquis au prix de son âme.

1. Surnom donné à l'hospice de la Maternité où l'on recueillait les
filles enceintes sans asile.

2. L'Observatoire. En 1833, Balzac habitait près de l'Observatoire,
rue Cassini. Dans la *Théorie de la démarche*, Balzac se met en scène
allant consulter ses voisins du Bureau des longitudes.

3. Fondée par Mme de Chateaubriand, on y prodiguait des soins aux
miséreux. Elle était située dans l'actuelle avenue Denfert-Rochereau.

qui sonnent incessamment dans ce désert, et pour la
mère qui accouche, et pour l'enfant qui naît, et pour
le vice qui succombe, et pour l'ouvrier qui meurt,
et pour la vierge qui prie, et pour le vieillard qui a
froid, et pour le génie qui se trompe. Puis, à deux
pas, est le cimetière du Montparnasse, qui attire
d'heure en heure les chétifs convois du faubourg
Saint-Marceau. Cette esplanade, d'où l'on domine
Paris, a été conquise par les joueurs de boules,
vieilles figures grises, pleines de bonhomie, braves
gens qui continuent nos ancêtres, et dont les physionomies ne peuvent être comparées qu'à celles de
leur public, à la galerie mouvante qui les suit.
L'homme devenu depuis quelques jours l'habitant
de ce quartier désert assistait assidûment aux parties de boules, et pouvait, certes, passer pour la
créature la plus saillante de ces groupes, qui, s'il
était permis d'assimiler les Parisiens aux différentes classes de la zoologie, appartiendraient au
genre des mollusques. Ce nouveau venu marchait
sympathiquement avec le *cochonnet*, petite boule
qui sert de point de mire, et constitue l'intérêt de
la partie ; il s'appuyait contre un arbre quand le
cochonnet s'arrêtait ; puis, avec la même attention
qu'un chien en prête aux gestes de son maître, il
regardait les boules volant dans l'air ou roulant à
terre. Vous l'eussiez pris pour le génie fantastique
du cochonnet. Il ne disait rien, et les joueurs de
boules, les hommes les plus fanatiques qui se soient
rencontrés parmi les sectaires de quelque religion

que ce soit, ne lui avaient jamais demandé compte
de ce silence obstiné; seulement quelques esprits
forts le croyaient sourd et muet. Dans les occasions
où il fallait déterminer les différentes distances
qui se trouvaient entre les boules et le cochonnet, la
canne de l'inconnu devenait la mesure infaillible,
les joueurs venaient alors la prendre dans les mains
glacées de ce vieillard, sans la lui emprunter par un
mot, sans même lui faire un signe d'amitié. Le
prêt de sa canne était comme une servitude à
laquelle il avait négativement consenti. Quand il
survenait une averse, il restait près du cochonnet,
esclave des boules, gardien de la partie commen-
cée. La pluie ne le surprenait pas plus que le beau
temps, et il était, comme les joueurs, une espèce
intermédiaire entre le Parisien qui a le moins d'intelligence, et l'animal qui en a le plus. D'ailleurs,
pâle et flétri, sans soins de lui-même, distrait, il
venait souvent nu-tête, montrant ses cheveux blan-
chis et son crâne carré, jaune, dégarni, semblable
au genou qui perce le pantalon d'un pauvre. Il était
béant, sans idées dans le regard, sans appui précis dans la démarche : il ne souriait jamais, ne
levait jamais les yeux au ciel, et les tenait habituellement baissés vers la terre, et semblait toujours
y chercher quelque chose. À quatre heures, une
vieille femme venait le prendre pour le ramener
on ne sait où, en le traînant à la remorque par le
bras, comme une jeune fille tire une chèvre capri-
cieuse qui veut brouter encore quand il faut venir à

l'étable. Ce vieillard était quelque chose d'horrible à voir.

Dans l'après-midi, Jules, seul dans une calèche de voyage lestement menée par la rue de l'Est, déboucha sur l'esplanade de l'Observatoire au moment où ce vieillard, appuyé sur un arbre, se laissait prendre sa canne au milieu des vociférations de quelques joueurs pacifiquement irrités. Jules, croyant reconnaître cette figure, voulut s'arrêter, et sa voiture s'arrêta précisément. En effet, le postillon, serré par des charrettes, ne demanda point passage aux joueurs de boules insurgés, il avait trop de respect pour les émeutes, le postillon.

« C'est lui, dit Jules en découvrant enfin dans ce débris humain Ferragus XXIII, chef des Dévorants. Comme il l'aimait ! ajouta-t-il après une pause. Marchez donc, postillon ! » cria-t-il.

Paris, février 1833.

DOSSIER

VIE D'HONORÉ DE BALZAC

(1799-1850)

La biographie de Balzac est tellement chargée d'événements si divers, et tout s'y trouve si bien emmêlé, qu'un exposé purement chronologique des faits serait d'une confusion extrême.

Dans l'ordre chronologique, nous nous sommes donc contentés de distinguer, d'une manière aussi peu arbitraire que possible, cinq grandes époques de la vie de Balzac : des origines à 1814, 1815-1828, 1828-1833, 1833-1840, 1841-1850.

À l'intérieur des périodes principales, nous avons préféré, quand il y avait lieu, classer les faits selon leur nature : l'œuvre, les autres activités touchant la littérature, la vie sentimentale, les voyages, etc. (mais en reprenant, à l'intérieur de chaque paragraphe, l'ordre chronologique).

Famille, enfance : des origines à 1814.

En juillet 1746 naît dans le Rouergue, d'une lignée paysanne, Bernard-François Balssa, qui sera le père du romancier et mourra en 1829 ; trente ans plus tard nous retrouvons le nom orthographié « Balzac ».

Janvier 1797 : Bernard-François, directeur des vivres de la division militaire de Tours, épouse à cinquante ans Laure Sallambier, qui en a dix-huit, et qui vivra jusqu'en 1854.

20 mai 1799 : naissance à Tours d'Honoré Balzac (le nom ne comporte pas encore la particule). Un premier fils, né jour pour jour un an plus tôt, n'avait pas vécu.

Après Honoré, trois autres enfants naîtront : 1° Laure (1800-1871), qui épousera en 1820 Eugène Surville, ingénieur des Ponts et Chaussées ; 2° Laurence (1802-1825), devenue en 1821 Mme de Montzaigle : c'est sur son acte de baptême que la particule «de» apparaît pour la première fois devant le nom des Balzac. Elle mourra dans la misère, honnie sans raison par sa mère ; 3° Henry (1807-1858), fils adultérin dont le père était Jean de Margonne (1780-1858), châtelain de Saché.

L'enfance et l'adolescence d'Honoré seront affectées par la préférence de la mère pour Henry, lequel, dépourvu de dons et de caractère, traînera une existence assez misérable ; les ternes séjours qu'il fera dans les îles de l'océan Indien avant de mourir à Mayotte contrastent absolument avec les aventures des romanesques coureurs de mers balzaciens. Balzac gardera des liens étroits avec Margonne et séjournera souvent à Saché, où l'on montre encore sa chambre et sa table de travail.

Dès sa naissance, Honoré est mis en nourrice chez la femme d'un gendarme à Saint-Cyr-sur-Loire, aujourd'hui faubourg de Tours (rive droite). De 1804 à 1807, il est externe dans un établissement scolaire de Tours, de 1807 à 1813, il est pensionnaire au collège de Vendôme. Puis, pendant quelques mois, en 1813, atteint de troubles et d'une espèce d'hébétude qu'on attribue à un abus de lecture, il demeure dans sa famille, au repos. De l'été 1813 à juin 1814, il est pensionnaire dans une institution du Marais. De juillet à septembre 1814, il reprend ses études au collège de Tours, comme externe.

Son père, alors administrateur de l'Hospice général de Tours, est nommé directeur des vivres dans une entreprise parisienne de fournitures aux armées. Toute la famille quitte Tours pour Paris, en novembre 1814.

Apprentissages, 1815-1828.

1815-1819. Honoré poursuit ses études à Paris. Il entreprend son droit, suit des cours à la Sorbonne et au Muséum. Il travaille comme clerc dans l'étude de Me Guillonnet-Merville, avoué, puis dans celle de Me Passez, notaire ; ces deux stages laisseront sur lui une empreinte profonde.

Son père ayant pris sa retraite, la famille, dont les ressources sont désormais réduites, quitte Paris et s'installe pendant l'été 1819 à Villeparisis. Le 16 août, le frère cadet de Bernard-François était guillotiné à Albi pour l'assassinat, dont il n'était peut-être pas coupable, d'une fille de ferme. Cependant Honoré, qu'on destinait au notariat, obtient de renoncer à cette carrière, et de demeurer seul à Paris, dans une mansarde, rue Lesdiguières, pour éprouver sa vocation en s'exerçant au métier des lettres. En septembre 1820, au tirage au sort, il a obtenu un «bon numéro» le dispensant du service militaire.

Dès 1817 il a rédigé des *Notes sur la philosophie et la religion*, suivies en 1818 de *Notes sur l'immortalité de l'âme*, premiers indices du goût prononcé qu'il gardera longtemps pour la spéculation philosophique ; maintenant il s'attaque à une tragédie, *Cromwell*, cinq actes en vers, qu'il termine au printemps de 1820. Soumise à plusieurs juges successifs, l'œuvre est uniformément estimée détestable ; Andrieux, aimable écrivain, professeur au Collège de France et académicien, conclut que l'auteur peut tenter sa chance dans n'importe quelle voie, hormis la littérature. Balzac continue sa recherche philosophique avec *Falthurne* et *Sténie* (1820-1821), que suivront bientôt (1823) un *Traité de la prière* et un second *Falthurne*.

De 1822 à 1827, soit en collaboration soit seul, sous les pseudonymes de lord R'hoone et Horace de Saint-Aubin, il publie une masse considérable de produits romanesques «de consommation courante», qu'il lui arrivera d'appeler «petites opérations de littérature marchande» ou même «cochonneries littéraires». À leur sujet, les balzaciens se partagent : les uns y trouvent des ébauches de thèmes et les signes avant-coureurs du génie romanesque ; les autres doutent que Balzac, soucieux de satisfaire une clientèle populaire, y ait rien mis qui soit sérieusement de lui-même.

En 1822 commence sa longue liaison (mais, de sa part, non exclusive) avec Antoinette de Berny, qu'il a rencontrée à Villeparisis l'année précédente. Née en 1777, elle a alors deux fois l'âge d'Honoré qui aura pour celle qu'il a rebaptisée Laure et la *Dilecta*, un amour ambivalent, où il trouvera une compensation à son enfance frustrée.

Fille d'un musicien de la Cour et d'une femme de chambre de Marie-Antoinette, femme d'expérience, Laure initiera son jeune amant aux secrets de la vie. Elle restera pour lui un soutien, et le guide le plus sûr. Elle mourra en 1836.

En 1825, Balzac entre en relation avec la duchesse d'Abrantès (1783-1838); cette nouvelle maîtresse, qui d'ailleurs s'ajoute à la précédente et ne se substitue pas à elle, a encore quinze ans de plus que lui. Fort avertie de la grande et petite histoire de la Révolution et de l'Empire, elle complète l'éducation que lui a donnée Mme de Berny, et le présente aux nombreux amis qu'elle garde dans le monde : lui-même, plus tard, se fera son conseiller et même son collaborateur lorsqu'elle commencera ses *Mémoires*.

Durant la fin de cette période, il se lance dans des affaires qui enrichissent d'une manière incomparable l'expérience du futur auteur de *La Comédie humaine*, mais qui, en attendant, se soldent par de pénibles et coûteux échecs.

Il se fait éditeur en 1825, imprimeur en 1826, fondeur de caractères en 1827, toujours en association, les fonds de ses propres apports étant constitués par sa famille et par Mme de Berny. En 1825 et 1826, il publie, entre autres, des éditions compactes de Molière et de La Fontaine, pour lesquelles il a composé des notices. En 1828, la société de fonderie est remaniée ; il en est écarté au profit d'Alexandre de Berny, fils de son amie : l'entreprise deviendra une des plus belles réalisations françaises dans ce domaine. L'imprimerie est liquidée quelques mois plus tard, en août : elle laisse à Balzac 60 000 francs de dettes (dont 50 000 envers sa famille).

Nombreux voyages et séjours en province, notamment dans la région de l'Isle-Adam, en Normandie, et en Touraine.

Les débuts, 1828-1833.

À la mi-septembre 1828, Balzac va s'établir pour six semaines à Fougères, en vue du roman qu'il prépare sur la chouannerie.

Le Dernier Chouan ou la Bretagne en 1800, dont le titre deviendra finalement *Les Chouans*, paraît en mars 1829 ; c'est le premier roman dont il assume ouvertement la responsabilité en le signant de son véritable nom.

En décembre 1829, il publie sous l'anonymat *Physiologie du mariage*, un essai ou, comme il dira plus tard, une «étude analytique» qu'il avait ébauchée puis délaissée plusieurs années auparavant.

1830 : les *Scènes de la vie privée* réunissent en deux volumes six courts récits. Ce nombre sera porté à quinze dans une réédition du même titre en quatre tomes (1832).

1831 : *La Peau de chagrin* ; ce roman est repris pour former la même année, avec douze autres récits, trois volumes de *Romans et contes philosophiques* ; l'ensemble est précédé d'une introduction de Philarète Chasles, certainement inspirée par l'auteur.

1832 : les *Nouveaux contes philosophiques* augmentent cette collection de quatre récits (dont une première version de *Louis Lambert*).

Les *Contes drolatiques*. À l'imitation des *Cent Nouvelles nouvelles* (il avait un goût très vif pour la vieille littérature), il voulait en écrire cent, répartis en dix dizains. Le premier dizain paraît en 1832, le deuxième en 1833 ; le troisième ne sera publié qu'en 1837, et l'entreprise s'arrêtera là.

Septembre 1833 : *Le Médecin de campagne*. Pendant toute cette époque, Balzac donne une foule de textes divers à de nombreux périodiques. Il poursuivra ce genre de collaboration durant toute sa vie, mais à une cadence moindre.

Laure de Berny reste la *Dilecta*. Laure d'Abrantès devient une amie. Passade avec Olympe Pélissier.

Entré en liaison d'abord épistolaire avec la duchesse de Castries en 1831, il séjourne auprès d'elle, à Aix-les-Bains et à Genève, en septembre et octobre 1832 ; elle se laisse chaudement courtiser, mais ne cède pas, ce dont il se «venge» par *La Duchesse de Langeais*.

Au début de 1832, il reçoit d'Odessa une lettre signée «L'Étrangère», et répond par une petite annonce insérée dans *La Gazette de France* : c'est le début de ses relations avec

Mme Hanska (1805-1882), sa future femme qu'il rencontre pour la première fois à Neuchâtel dans les derniers jours de septembre 1833. Vers cette même époque, il a une maîtresse discrète, Maria du Fresnay.

Voyages très nombreux. Outre ceux que nous avons signalés ci-dessus (Fougères, Aix, Genève, Neuchâtel), il faut mentionner plusieurs séjours à Saché, prés de Nemours chez Mme de Berny, près d'Angoulême chez Zulma Carraud, etc.

Son travail acharné n'empêche pas qu'il ne soit très répandu dans les milieux littéraires et dans le monde ; il mène une vie ostentatoire et dispendieuse.

En politique, il s'affiche légitimiste. Il envisage de se présenter aux élections législatives de 1831, et en 1832 à une élection partielle.

L'essor, 1833-1840.

Durant cette période, Balzac ne se contente pas d'assurer le développement de son œuvre : il se préoccupe de lui assurer une organisation d'ensemble, comme en témoignaient déjà les *Scènes de la vie privée* et les *Romans et contes philosophiques*. Maintenant il s'avance sur la voie qui le conduira à la conception globale de *La Comédie humaine*.

Le 13 janvier 1833, il publie, dans la *Revue de Paris*, *Histoire de Madame Diard* qui constitue la deuxième partie des Manara. C'est dans la même revue qu'il donne sous forme de feuilleton, du 10 mars à la mi-avril, *Ferragus*, premier volet de l'*Histoire des treize* qui va inaugurer le principe de la réapparition des personnages d'un roman à l'autre et constitue l'une des étapes importantes de la vision d'ensemble du grand œuvre. Après sa rupture avec Amédée Pichot, directeur de la *Revue de Paris*, c'est dans l'*Écho de la Jeúne France* qu'il fait paraître *Ne touchez pas à la hache* (chapitres I et II de ce qui s'intitulera plus tard *La Duchesse de Langeais*). Il collabore ensuite à l'*Europe littéraire*, publication à laquelle il donne, le 19 juin, *La Veillée* (un extrait du *Médecin de campagne*) et, du 15 août au 5 septembre, la *Théorie de la démarche* dont il avait déjà utilisé de larges extraits dans *Ferragus*.

En octobre 1833, il signe un contrat pour la publication des *Études de mœurs au XIXᵉ siècle*, qui doivent rassembler aussi bien les rééditions que des ouvrages nouveaux, répartis en quatre tomes de *Scènes de la vie privée*, quatre de *Scènes de la vie de province* et quatre de *Scènes de la vie parisienne*. Les douze volumes paraissent en ordre dispersé de décembre 1833 à février 1837. Le tome I est précédé d'une importante *Introduction* de Félix Davin, porte-plume de Balzac. La classification a une valeur littéraire et symbolique ; elle se fonde à la fois sur le cadre de l'action et sur la signification du thème.

Parallèlement paraissent de 1834 à 1840 vingt volumes d'*Études philosophiques*, avec une nouvelle introduction de Félix Davin.

Principales créations en librairie de cette période : *Eugénie Grandet*, fin 1833 ; *La Recherche de l'absolu*, 1834 ; *Le Père Goriot*, *La Fleur des pois* (titre qui deviendra *Le Contrat de mariage*), *Séraphita*, 1835 ; *Histoire des Treize*, 1833-1835 ; *Le Lys dans la vallée*, 1836 ; *La Vieille Fille*, *Illusions perdues* (début), *César Birotteau*, 1837 ; *La Femme supérieure* (titre qui deviendra *Les Employés*), *La Maison Nucingen*, *La Torpille* (début de *Splendeurs et misères des courtisanes*), 1838 ; *Le Cabinet des antiques*, *Une fille d'Ève*, la deuxième partie d'*Illusions perdues*, *Béatrix* (début), 1839 ; *Une princesse parisienne* (titre qui deviendra *Les Secrets de la princesse de Cadignan*), *Pierrette*, *Pierre Grassou*, 1840.

En marge de cette activité essentielle, Balzac prend à la fin de 1835 une participation majoritaire dans la *Chronique de Paris*, journal politique et littéraire ; il y publie un bon nombre de textes, jusqu'à ce que la société, irrémédiablement déficitaire, soit dissoute six mois plus tard. Curieusement il réédite (et complète à l'aide de « nègres »), en gardant un pseudonyme qui n'abuse personne, une partie de ses romans de jeunesse ; les *Œuvres complètes d'Horace de Saint-Aubin*, seize volumes, 1836-1840.

En 1838, il s'inscrit à la toute jeune Société des Gens de Lettres, il la préside en 1839, et mène diverses campagnes pour la protection de la propriété littéraire et des droits des auteurs.

Candidat à l'Académie française en 1839, il s'efface devant Hugo, qui ne sera pas élu.

En 1840, il fonde la *Revue parisienne*, mensuelle et entièrement rédigée par lui ; elle disparaît après le troisième numéro, où il a inséré son long et fameux article sur *La Chartreuse de Parme*.

Théâtre, vieille et durable préoccupation depuis le *Cromwell* de ses vingt ans : en 1839, la Renaissance refuse *L'École des ménages*, pièce dont il donne chez Custine une lecture à laquelle assistent Stendhal et Théophile Gautier. En 1840, la censure, après plusieurs refus, finit par autoriser *Vautrin*, qui sera interdit dès le lendemain de la première.

Il séjourne à Genève auprès de Mme Hanska du 24 décembre 1833 au 8 février 1834 ; il la retrouve à Vienne (Autriche) en mai-juin 1835 : alors commence une séparation qui durera huit ans.

Le 4 juin 1834 naît Marie du Fresnay, présumée être sa fille, et qu'il regarde comme telle ; elle mourra en 1930.

Mme de Berny, malade depuis 1834, accablée de malheurs familiaux, cesse de le voir à la fin de 1835 : elle va mourir le 27 juillet 1836.

Le 29 mai 1836, naissance de Lionel-Richard, fils présumé de Balzac et de la comtesse Guidoboni-Visconti.

Juillet-août 1836 : Mme Marbouty, déguisée en homme, l'accompagne à Turin où il doit régler une affaire de succession pour le compte et avec la procuration du mari de Frances Sarah, le comte Guidoboni-Visconti. Ils rentrent par la Suisse.

Autres voyages, toujours nombreux, et nombreuses rencontres.

Au cours de l'excursion autrichienne de 1835, il est reçu par Metternich, et visite le champ de bataille de Wagram en vue d'un roman qu'il ne parviendra jamais à écrire. En 1836, séjournant en Touraine, il se voit accueilli par Talleyrand et la duchesse de Dino. L'année suivante, c'est George Sand qui l'héberge à Nohant ; elle lui suggère le sujet de *Béatrix*.

Durant un second voyage italien, en 1837, il a appris, à

Gênes, qu'on pourrait exploiter fructueusement en Sardaigne les scories d'anciennes mines de plomb argentifère ; en 1838, en passant par la Corse, il se rend sur place pour y constater que l'idée était si bonne qu'une société marseillaise l'a devancé ; retour par Gênes, Turin, et Milan où il s'attarde.

On signale en 1834 un dîner réunissant Balzac, Vidocq et les bourreaux Sanson père et fils.

Démêlés avec la Garde nationale, où il se refuse obstinément à assurer ses tours de garde : en 1835, à Chaillot sous le nom de « madame veuve Durand », il se cache autant de ses créanciers que de la Garde qui l'incarcérera, en 1836, pendant une semaine dans sa prison surnommée « Hôtel des Haricots » ; nouvel emprisonnement en 1839, pour la même raison.

En 1837, près de Paris, à Sèvres, au lieu dit les Jardies, il achète les premiers éléments de ce dont il voudra constituer tout un domaine. Sa légende commençant, on prétendra qu'il aurait rêvé d'y faire fortune en y acclimatant la culture de l'ananas. Ses projets assez grandioses lui coûteront fort cher et ne lui amèneront que des déboires. Liquidation onéreuse et longue : à la mort de Balzac, l'affaire n'était pas entièrement réglée.

C'est en octobre 1840 que, quittant les Jardies, il s'installe à Passy dans l'actuelle rue Raynouard, où sa maison est redevenue aujourd'hui « La Maison de Balzac ».

Suite et fin, 1841-1850.

Le fait marquant qui inaugure cette période est l'acte de naissance officiel de *La Comédie humaine* considérée comme un ensemble organique. Cet acte, c'est le contrat passé le 2 octobre 1841 avec un groupe d'éditeurs pour la publication, sous ce « titre général », des « œuvres complètes » de Balzac, celui-ci se réservant « l'ordre et la distribution des matières, la tomaison et l'ordre des volumes ».

Nous avons vu le romancier, dès ses véritables débuts ou presque, montrer le souci d'un ordre et d'un classement. Une lettre à Mme Hanska du 26 octobre 1834 en faisait déjà état.

Une lettre de décembre 1839 ou janvier 1840, adressée à un éditeur non identifié, et restée sans suite, mentionnait pour la première fois le «titre général», avec un plan assez détaillé Cette fois le grand projet va enfin se réaliser (sous réserve de quelques changements de détail ultérieurs dans le plan, de plusieurs ouvrages annoncés qui ne seront jamais composés et, enfin, de quelques autres composés et non annoncés).

Réunissant rééditions et nouveautés, l'ensemble désormais intitulé *La Comédie humaine* paraît de 1842 à 1848 en dix-sept volumes, complétés en 1855 par un tome XVIII, et suivis, en 1855 encore, d'un tome XIX *(Théâtre)* et d'un tome XX *(Contes drolatiques)*. Trois parties : *Études de mœurs*, *Études philosophiques*, *Études analytiques*, — la première partie étant elle-même divisée en *Scènes de la vie privée*, *Scènes de la vie de province*, *Scènes de la vie parisienne*, *Scènes de la vie politique*, *Scènes de la vie militaire* et *Scènes de la vie de campagne*.

L'*Avant-propos* est un texte doctrinal capital. Avant de se résoudre à l'écrire lui-même, Balzac avait demandé vainement une préface à Nodier, à George Sand, ou envisagé de reproduire les introductions de Davin aux anciennes *Études de mœurs* et *Études philosophiques*.

Premières publications en librairie : *Le Curé de village*, 1841 ; *Mémoires de deux jeunes mariées*, *Ursule Mirouët*, *Albert Savarus*, *La Femme de trente ans* (sous sa forme et son titre définitifs après beaucoup d'avatars), *Les Deux Frères* (titre qui deviendra *La Rabouilleuse*), 1842 ; *Une ténébreuse affaire*, *La Muse du département*, *Illusions perdues* (au complet), 1843 ; *Honorine*, *Modeste Mignon*, 1844 ; *Petites misères de la vie conjugale*, 1846 ; *La Dernière Incarnation de Vautrin* (achevant *Splendeurs et misères des courtisanes*), 1847 ; *Les Parents pauvres* (*Le Cousin Pons* et *La Cousine Bette*), 1847-1848.

Romans posthumes. *Le Député d'Arcis* et *Les Petits Bourgeois*, restés inachevés, et terminés, avec une désinvolture confondante, par Charles Rabou agréé par la veuve, paraissent respectivement en 1854 et 1856. La veuve assure elle-même, avec beaucoup plus de tact, la mise au point des *Paysans* qu'elle publie en 1855.

Théâtre. Représentation et échec des *Ressources de Quinola*, 1842; de *Paméla Giraud*, 1843. Succès sans lendemain de *La Marâtre*, pièce créée à une date peu favorable (25 mai 1848); trois mois plus tard la Comédie-Française reçoit *Mercadet ou le Faiseur*, mais la pièce ne sera pas représentée.

Chevalier de la Légion d'honneur depuis avril 1845, Balzac, encore candidat à l'Académie française, obtient 4 voix le 11 janvier 1849, dont celles de Hugo et de Lamartine (on lui préfère le duc de Noailles), et, aux trois scrutins du 18 janvier, 2 voix (Vigny et Hugo), 1 voix (Hugo) et 0 voix, le comte de Saint-Priest étant élu.

Préoccupations et voyages, durant cette période, portent pratiquement un seul et même nom: Mme Hanska. Le comte Hanski était mort le 10 novembre 1841, en Ukraine; mais Balzac recevra le 5 janvier 1842 seulement l'annonce de l'événement. Mme Hanska, libre désormais de l'épouser, va néanmoins le faire attendre plus de huit ans encore, soit qu'elle manque d'empressement, soit que réellement le régime tsariste se dispose à confisquer ses biens, qui sont considérables, si elle s'unit à un étranger.

En 1843, après huit ans de séparation, Balzac va la retrouver pour deux mois à Saint-Pétersbourg; il rentre par Berlin, les pays rhénans, la Belgique. En 1845, voyages communs en Allemagne, en France, en Hollande, en Belgique, en Italie. En 1846, ils se rencontrent à Rome et voyagent en Italie, en Suisse, en Allemagne.

Mme Hanska est enceinte; Balzac en est profondément heureux, et, de surcroît, voit dans cette circonstance une occasion de hâter son mariage; il se désespère lorsqu'elle accouche, en novembre 1846, d'un enfant mort-né.

En 1847, elle passe quelques mois à Paris; peu après, Balzac rédige un testament en sa faveur. À l'automne, il va la retrouver en Ukraine, où il séjourne près de cinq mois. Il rentre à Paris, assiste à la révolution de février 1848 et envisage une candidature aux élections législatives, puis il repart dès la fin de septembre pour l'Ukraine, où il séjourne jusqu'à la fin d'avril

1850. Malade, il ne travaille plus : depuis plusieurs années sa santé n'a cessé de se dégrader.

Il épouse Mme Hanska, le 14 mars 1850, à Berditcheff.

Rentrés à Paris vers le 10 mai, les deux époux, le 4 juin, se font donation de tous leurs biens en cas de décès.

Balzac est rentré à Paris pour mourir. Affaibli, presque aveugle, il ne peut bientôt plus écrire ; la dernière lettre connue, de sa main, date du 1er juin 1850. Le 18 août, il reçoit l'extrême-onction, et Hugo, venu en visite, le trouve inconscient : il meurt à onze heures et demie du soir. On l'enterre au Père-Lachaise trois jours plus tard ; les cordons du poêle sont tenus par Hugo et Dumas, mais aussi par le navrant Sainte-Beuve, qui lui vouait la haine des impuissants, et par le ministre de l'Intérieur ; devant sa tombe, superbe discours de Hugo, que nous reproduisons plus loin dans les Documents, p. 251.

George Sand, Lamartine, Baudelaire, Gautier, Hofmannsthal, Barbey d'Aurevilly, Hugo : aucun parmi les plus grands ne se sera trompé sur le génie de Balzac.

NOTICE

Publication et postérité de Ferragus.

Quand il publie *Ferragus*, en 1833, Balzac ne sait pas encore qu'il est en train d'écrire *La Comédie humaine*.

La réapparition de mêmes personnages d'un épisode à l'autre, dans l'*Histoire des Treize*, est encore trop accessoire pour qu'on puisse parler d'une vision d'ensemble : *Ferragus*, *La Duchesse de Langeais* et *La Fille aux yeux d'or* constituent des entités romanesques autonomes. Mais elle est certainement à l'origine de ce qui deviendra la clé de voûte du monument.

Cette année 1833 inaugure d'ailleurs pour Balzac une période d'intense activité créatrice au cours de laquelle il va mettre peu à peu dans une même perspective son travail passé et celui à venir. Les rééditions successives des romans antérieurs lui en fournissent l'occasion. Avec *Le Père Goriot* (1834-1835), la réapparition des personnages devient vraiment un lien, ou mieux encore ce que les ouvriers du bâtiment nomment un liant, qui réunit entre elles les pierres de l'édifice. *Ferragus* est l'une des étapes importantes du chemin qui va mener Balzac de la production en série de romans à ce que Proust appelle « l'illumination rétrospective », c'est-à-dire la prise de conscience par l'auteur qu'il n'est pas simplement un tailleur de pierre mais un véritable architecte.

Le livre paraît pour la première fois dans la *Revue de Paris*, sous la forme d'un feuilleton, en quatre livraisons datées de mars et d'avril 1833. Entre Balzac, pressé par l'exigence de son génie, et Amédée Pichot, le directeur de la revue, qui attend du texte, les relations sont tumultueuses, ce qui a pu ajouter encore au caractère haletant du roman. On pourra lire, dans les documents que nous proposons à la suite, la lettre que Balzac adresse à Pichot le 24 mars 1833. Non seulement elle est révélatrice du climat de fièvre dans lequel fut rédigé *Ferragus*, mais elle est aussi très représentative de ce qui constitue un véritable genre littéraire français, à savoir la correspondance à caractère conflictuel entre un auteur et son éditeur. En l'occurrence Balzac ne parvient pas à nous convaincre de sa totale bonne foi : il a vraiment pris du retard par rapport à ses promesses et les protestations de Pichot semblent bien légitimes : «Au nom des Maranas, au nom de Ferragus, au nom de Madame Jules, donnez-nous la copie de votre *conclusion* d'ici à mardi.» Des brouillons indiquent que le 25 mars Balzac est encore loin d'avoir achevé son roman. Quoi qu'il en soit cette crise s'achèvera par la rupture entre les deux hommes.

Le succès du livre est immédiat, immense. Une anecdote permet de mesurer la gloire soudaine qui s'attache à ce roman : un propriétaire d'écurie, du nom lui-même romanesque de Chéri Salvador, s'enorgueillit d'appeler Ferragus l'un de ses chevaux de course.

Dès le mois de mai, Balzac peut écrire à Madame Hanska :

Pendant cette inaction, la gloriole a été son train. Madame [la duchesse de Berry] m'a fait écrire du fond de sa prison de Blaye des choses touchantes, j'ai été sa consolation, et l'Histoire des Treize l'a si fort intéressée qu'elle a été sur le point de me faire écrire pour en savoir la fin par avance, tant elle en était agitée. Chose bizarre ! M. de Fitz-James m'écrivait que le vieux prince de Metternich ne quittait pas cette histoire et dévorait mes œuvres ! — Laissons cela, vous lirez Madame Jules et quand vous en serez à son testament, vous aurez quelque regret de m'avoir dit de brûler vos lettres. L'Histoire des 13 [sic] a eu un succès extraordinaire dans ce Paris si insouciant et si occupé.

Ce succès s'explique évidemment par les qualités propres au roman, mais aussi par la vogue que connaissent alors les relations faites de leurs aventures par d'anciens bagnards ou de nouveaux chefs de la Sûreté, qui sont parfois un seul et même homme, tel Vidocq qui publie ses *Mémoires* en 1828. Le retentissement de ce livre est considérable et Vidocq acquiert un grand prestige auprès des écrivains les plus célèbres de son temps : Eugène Sue, Alexandre Dumas, Victor Hugo et jusqu'à Lamartine.

Balzac connaît Vidocq depuis 1822. Vidocq fréquente alors le salon de son ami Gabriel de Berny et cette année-là Balzac devient l'amant de Mme de Berny qui sera la *Dilecta*. Vidocq n'a pas rédigé seul ses mémoires. Le plus savoureux est que Balzac a bien failli être son «nègre». (On disait alors un «teinturier», ce qui est plus joli). On imagine sans peine leurs conversations et l'intérêt que Balzac pouvait porter à ces récits dans lesquels le secret, le mystère, le pouvoir, l'argent et l'assassinat constituaient les ingrédients des «affaires». Dans *Ferragus*, la police officielle est impuissante. Elle se contente de recueillir les renseignements obtenus par Justin (qui agit en véritable détective privé) et de les transmettre à «Vidocq et ses limiers», sorte de «barbouzes» capables d'infiltrer tous les milieux. Il serait évidemment abusif de voir dans la publication de *Ferragus* l'acte de naissance du roman policier mais on voit bien comment s'y mettent en place certains éléments qui deviendront bientôt des archétypes du genre. Dans l'esprit de Balzac commence à germer, dès l'écriture de *Ferragus*, l'idée de ce personnage à multiples facettes («le pauvre de la rue Coquillière, le Ferragus d'Ida, l'habitant de la rue Soly, le Bourignard de Justin, le forçat de la police, le mort de la veille») qui prendra toute son envergure avec la figure de Vautrin.

Jean Savant, dans son étude *Balzac et Vidocq* (*L'Œuvre de Balzac*, Le Club français du livre, 1964), a multiplié les exemples de similitudes d'actions, de pensées, de détails que l'on rencontre dans les souvenirs de Vidocq et la carrière romanesque de Vautrin. Or Vautrin soutient bel et bien l'édifice de *La Comédie humaine* comme Jean Valjean (autre avatar de

Vidocq) soulève, dans *Les Misérables*, la charrette du père Fau-
chelevent.

La postérité de l'œuvre de Balzac est à la mesure des ambi-
tions illimitées de l'auteur de *Ferragus*. Nous avons vu Radiguet venir prendre des leçons de Balzac chez Cendrars. Voici
comment l'aventure se termine : Radiguet revient voir le bour-
lingueur impénitent et lui confie comment le Paris de Balzac lui
grouille dans la tête, comment la description du bal que donne
le baron Nucingen dans *Ferragus* lui a même inspiré le titre du
roman qu'il est en train d'écrire : *Le Bal du comte d'Orgel*, et
tout ce qu'il doit à celui qu'il appelle « notre grand patron. »
Radiguet n'en finit pas de s'exalter : « Balzac aurait dû naître
un demi-siècle plus tard. Nous lui devons tout. Il nous aurait
tous fourrés dans sa poche... » Et Cendrars de conclure : « C'est
ainsi que se transmet de génération en génération le flambeau
allumé au génie de Balzac, le plus grand génie moderne. »

Chaque commémoration de la naissance ou de la mort de
Balzac marque une occasion nouvelle de confirmer ces propos
et aujourd'hui encore, le génie de Balzac continue d'ensemen-
cer la prose narrative : tout ce qui est vraiment moderne ou seulement « nouveau » dans le roman contemporain a, d'une façon
ou d'une autre, sa source dans Balzac.

Notre édition.

En 1841, Balzac signe un contrat avec Furne, Dubochet, Pau-
lin et Hetzel pour la publication de ses œuvres complètes sous
le titre de *La Comédie humaine*. Dix-sept volumes paraîtront de
1842 à 1848. Balzac a apporté ses dernières corrections d'auteur sur les volumes de cette édition dite par la suite « Furne
corrigée » dont Jean-A. Ducourneau a dirigé la belle réédition
en fac-similé pour les *Bibliophiles de l'originale* (1966) et qui
sert de référence pour les éditions modernes de Balzac. Il
convient de préciser que Balzac n'a apporté aucune correction
au texte du *Ferragus* de l'édition Furne.

Il faut mentionner ici le travail considérable accompli par le vicomte Spoelberch de Lovenjoul (1836-1907), érudit qui consacra une partie de sa vie et de ses ressources à collectionner et publier un fonds Balzac dont il fit don à la bibliothèque de l'Institut de France.

À propos de l'édition Furne, Lovenjoul a noté : « Les divisions en chapitres des ouvrages de Balzac furent enlevées, au grand regret de l'auteur, comme faisant perdre trop de place, dans la première édition de *La Comédie humaine*, qui fut imprimée aussi compacte que possible ; il les regretta toujours... » Cette suppression des chapitres ne concerne pas seulement *Ferragus* mais correspond à une politique d'économie qui s'étend à tous les romans de Balzac : par exemple, les vingt-deux chapitres d'*Une ténébreuse affaire* sont réduits à trois grandes divisions et une conclusion.

Nous avons cru devoir rétablir cette division en chapitres pour plusieurs raisons. D'abord parce qu'il n'y a aucune raison de mettre en doute l'affirmation de Lovenjoul sur le véritable désir de Balzac ; ensuite parce que le caractère de « feuilleton » du livre doit être respecté : il suffira de se reporter à la dernière phrase d'un chapitre et à la première du suivant pour voir la rupture de ton qui justifie plus qu'un simple alinéa ; enfin parce qu'à supprimer les chapitres on perd un titre aussi étrange et nécessaire que celui du quatrième (« Où aller mourir ? ») qui pourrait être à lui seul le sujet d'un roman.

Signalons enfin que notre édition ne pouvait pas ne pas tenir compte des annotations et des corrections apportées par nos prédécesseurs parmi lesquels il faut citer Marcel Bouteron, Pierre-Georges Castex, Pierre Citron et Jean-A. Ducourneau.

Dans les documents qui suivent on pourra lire, outre la lettre du 24 mars 1833 à Amédée Pichot, la postface à *Ferragus* dans laquelle sont annoncés *Ne touchez pas à la hache* (qui deviendra *La Duchesse de Langeais*) et *La Femme aux yeux rouges* (dont le titre définitif sera *La Fille aux yeux d'or*).

Enfin nous reproduisons l'allocution funéraire prononcée par Victor Hugo lors des funérailles de Balzac. Victor Hugo n'y ménage pas ses louanges et prononce quelques paroles parmi les plus judicieuses qui aient jamais été dites sur le style de Balzac et son génie. Balzac est enterré ce jour-là au cimetière du Père-Lachaise où il était venu si souvent trouver la source de son inspiration et qui tient un si grand rôle dans *Ferragus*.

DOCUMENTS

A AMÉDÉE PICHOT

[Paris, 24 mars 1833.]

Monsieur,

D'après la mise en pages que je reçois ce matin avec la *Revue* *[de Paris]*, le chapitre trois de *Ferragus* fait vingt-cinq pages ; le chapitre quatre en doit faire autant ; je vous en préviens, parce que, alors, il ne peut plus guère y avoir dans le numéro prochain que quatorze pages avec ces cinquante-là, s'il est possible d'arriver.

Dans l'intérêt de la *Revue*, je vais me mettre à faire le dernier chapitre. Mais c'est de ma part un immense sacrifice ; si je quitte la *Revue*, je ne veux donner à la *Revue* aucune espèce de plainte.

Ma copie, sauf les hasards, sera donnée mardi. Que l'imprimerie soit digne de l'imprimerie, et il n'y aura rien d'impossible ; surtout lorsque, — si vous donnez un article de tête, — il peut y avoir, le mardi soir ou le mercredi matin, deux feuilles bonnes à tirer sur quatre.

Maintenant, pour parler affaires, je désire que nous nous trouvions tous les deux lundi, à trois heures, à la *Revue*, pour régler le compte des six mois. Je devais à peine soixante pages ; d'après mes calculs j'en ai donné cent. Le mois de mars (sauf les comptes d'abonnement et de ports d'épreuves, qui sont peu de chose), me serait dû. Je désire que vous soyez là pour résoudre les difficultés, assez honteuses, qu'il y a quelquefois sur des

lignes, sur des blancs, etc., et qui me trouvent toujours facile ;
mais, la dernière fois que je réglai, en décembre 1831, j'ai été
odieusement traité. Cela posé, il ne serait pas extraordinaire à la
Revue de joindre mars et avril, et de me donner mille francs.
car, si je reste cette semaine occupé de la *Revue*, il faut que mes
affaires se fassent avec quelque facilité.

Je ne demande pas grande grâce puisque l'article composé
sur la *Théorie de la démarche* a trente-deux pages, et je les ai
presque corrigées en entier, sauf quelques ajoutés scientifiques.
En outre, j'aurai, pour le 14 avril, les vingt pages sur les *Salons*,
et la *Théorie de la démarche* aura un second article.

Nous réglerons le compte de cette queue d'articles lorsque la
Théorie aura entièrement paru, ce qui nous mène en mai. Alors
la *Revue* sera ma débitrice ; après, la *Revue* et moi serons libres,
moi de demander beaucoup, car je reviendrai sur le passé, elle
de me refuser, et nous nous quitterons, moi avec la certitude
d'avoir mis tous les procédés les plus accorts et les plus cour-
tois, et il ne lui sera pas permis d'être mal en paroles ou en
articles à mon endroit.

Ayez la complaisance de me répondre un mot sur notre rendez-vous de demain à trois heures, car j'aurai à quitter votre
copie, qui sera donnée, je l'espère, toute entière lundi.

Agréez mes compliments.

de Balzac.

NOTE PUBLIÉE DANS
LA REVUE DE PARIS
EN APPENDICE À *FERRAGUS*

Cette aventure, où se pressent plusieurs physionomies parisiennes, et dans le récit de laquelle les digressions étaient en
quelque sorte le sujet principal pour l'auteur, montre la froide et
puissante figure du seul personnage qui, dans la grande association des Treize, ait succombé sous la main de la Justice, au milieu
du duel que ces hommes livraient secrètement à la société.

Si l'auteur a réussi à peindre Paris sous quelques-unes de ses faces, en le parcourant en hauteur, en largeur ; en allant du faubourg Saint-Germain au Marais ; de la rue au boudoir ; de l'hôtel à la mansarde ; de la prostituée à la figure d'une femme qui avait mis l'amour dans le mariage, et du mouvement de la vie au repos de la mort, peut-être aura-t-il le courage de poursuivre cette entreprise et de l'achever, en donnant deux autres histoires où les aventures de deux nouveaux Treize seront mises en lumière.

La seconde aura pour titre : *Ne touchez pas la hache*, et la troisième : *La Femme aux yeux rouges*.

Ces trois épisodes de l'*Histoire des Treize* sont les seuls que l'auteur puisse publier. Quant aux autres drames de cette histoire, si féconde en drames, ils peuvent se conter entre onze heures et minuit ; mais il est impossible de les écrire.

                                                              Avril 1833.

FUNÉRAILLES DE BALZAC
[Allocution prononcée aux obsèques d'Honoré de Balzac]

                                                      21 août 1850.

     Messieurs,

L'homme qui vient de descendre dans cette tombe était de ceux auxquels la douleur publique fait cortège. Dans les temps où nous sommes, toutes les fictions sont évanouies. Les regards se fixent désormais non sur les têtes qui règnent, mais sur les têtes qui pensent, et le pays tout entier tressaille lorsqu'une de ces têtes disparaît. Aujourd'hui, le deuil populaire, c'est la mort de l'homme de talent ; le deuil national, c'est la mort de l'homme de génie.

Messieurs, le nom de Balzac se mêlera à la trace lumineuse que notre époque laissera dans l'avenir.

M. de Balzac faisait partie de cette puissante génération des écrivains du dix-neuvième siècle qui est venue après Napoléon, de même que l'illustre pléiade du dix-septième est venue après

Richelieu, — comme si, dans le développement de la civilisation, il y avait une loi qui fît succéder aux dominateurs par le
glaive les dominateurs par l'esprit.

M. de Balzac était un des premiers parmi les plus grands, un
des plus hauts parmi les meilleurs. Ce n'est pas le lieu de dire
ici tout ce qu'était cette splendide et souveraine intelligence.
Tous ses livres ne forment qu'un livre, livre vivant, lumineux,
profond, où l'on voit aller et venir et marcher et se mouvoir,
avec je ne sais quoi d'effaré et de terrible mêlé au réel, toute
notre civilisation contemporaine ; livre merveilleux que le poète
a intitulé comédie et qu'il aurait pu intituler histoire, qui prend
toutes les formes et tous les styles, qui dépasse Tacite et qui va
jusqu'à Suétone, qui traverse Beaumarchais et qui va jusqu'à
Rabelais ; livre qui est l'observation et qui est l'imagination ;
qui prodigue le vrai, l'intime, le bourgeois, le trivial, le maté-
riel, et qui par moments, à travers toutes les réalités brusquement et largement déchirées, laisse tout à coup entrevoir le plus
sombre et le plus tragique idéal.

À son insu, qu'il le veuille ou non, qu'il y consente ou non,
l'auteur de cette œuvre immense et étrange est de la forte race
des écrivains révolutionnaires. Balzac va droit au but. Il saisit
corps à corps la société moderne. Il arrache à tous quelque
chose, aux uns l'illusion, aux autres l'espérance, à ceux-ci un
cri, à ceux-là un masque. Il fouille le vice, il dissèque la passion. Il creuse et sonde l'homme, l'âme, le cœur, les entrailles,
le cerveau, l'abîme que chacun a en soi. Et, par un don de sa
libre et vigoureuse nature, par un privilège des intelligences de
notre temps qui, ayant vu de près les révolutions, aperçoivent
mieux la fin de l'humanité et comprennent mieux la providence, Balzac se dégage souriant et serein de ces redoutables
études qui produisaient la mélancolie chez Molière et la misan-
thropie chez Rousseau.

Voilà ce qu'il a fait parmi nous. Voilà l'œuvre qu'il nous
laisse, œuvre haute et solide, robuste entassement d'assises de
granit, monument ! œuvre du haut de laquelle resplendira désormais sa renommée. Les grands hommes font leur propre pié-
destal ; l'avenir se charge de la statue.

Sa mort a frappé Paris de stupeur. Depuis quelques mois, il

était rentré en France. Se sentant mourir, il avait voulu revoir la patrie, comme la veille d'un grand voyage on vient embrasser sa mère.

Sa vie a été courte, mais pleine ; plus remplie d'œuvres que de jours.

Hélas ! ce travailleur puissant et jamais fatigué, ce philosophe, ce penseur, ce poète, ce génie, a vécu parmi nous de cette vie d'orages, de luttes, de querelles, de combats, commune dans tous les temps à tous les grands hommes. Aujourd'hui, le voici en paix. Il sort des contestations et des haines. Il entre, le même jour, dans la gloire et dans le tombeau. Il va briller désormais, au-dessus de toutes ces nuées qui sont sur nos têtes, parmi les étoiles de la patrie !

Vous tous qui êtes ici, est-ce que vous n'êtes pas tentés de l'envier ?

Messieurs, quelle que soit notre douleur en présence d'une telle perte, résignons-nous à ces catastrophes. Acceptons-les dans ce qu'elles ont de poignant et de sévère. Il est bon peut-être, il est nécessaire peut-être, dans une époque comme la nôtre, que de temps en temps une grande mort communique aux esprits dévorés de doute et de scepticisme un ébranlement religieux. La providence sait ce qu'elle fait lorsqu'elle met ainsi le peuple face à face avec le mystère suprême, et quand elle lui donne à méditer la mort, qui est la grande égalité et qui est aussi la grande liberté.

La providence sait ce qu'elle fait, car c'est là le plus haut de tous les enseignements. Il ne peut y avoir que d'austères et sérieuses pensées dans tous les cœurs quand un sublime esprit fait majestueusement son entrée dans l'autre vie, quand un de ces êtres qui ont plané longtemps au-dessus de la foule avec les ailes visibles du génie, déployant tout à coup ces autres ailes qu'on ne voit pas, s'enfonce brusquement dans l'inconnu.

Non, ce n'est pas l'inconnu ! Non, je l'ai déjà dit dans une autre occasion douloureuse, et je ne me lasserai pas de le répéter, non, ce n'est pas la nuit, c'est la lumière ! Ce n'est pas la fin, c'est le commencement ! Ce n'est pas le néant, c'est l'éternité ! N'est-il pas vrai, vous tous qui m'écoutez ? De pareils cercueils démontrent l'immortalité ; en présence de certains morts illustres, on sent plus distinctement les destinées divines de cette intelligence qui traverse la terre pour souffrir et pour se purifier et qu'on appelle l'homme, et l'on se dit qu'il est impossible que ceux qui ont été des génies pendant leur vie ne soient pas des âmes après leur mort !

ORIENTATION BIBLIOGRAPHIQUE

BALZAC (Honoré de), *Histoire des Treize* : *Ferragus*, *La Duchesse de Langeais*, *La Fille aux yeux d'or*, édition de Rose Fortassier, sous la direction de Pierre-Georges Castex, in *La Comédie humaine*, Gallimard, Bibliothèque de la Pléiade, vol. V, 1977.

BALZAC (Honoré de), *Histoire des Treize* : *La Duchesse de Langeais* suivi de *La Fille aux yeux d'or*, édition de Rose Fortassier, Gallimard, Folio classique, 1976.

BALZAC (Honoré de), *Correspondance juin 1832-1835*, édition de Roger Pierrot, vol. II, Garnier, 1962.

BARON (Anne-Marie), *Balzac cinéaste*, Méridiens-Klincksiek, 1990.

BIJAOUI-BARON (A.-M.), « Origine et avenir d'un rôle balzacien : l'employé aux morts », in *L'Année balzacienne*, 1987.

BUTOR (Michel), « Paris à vol d'archange, in *Improvisations sur Balzac* », vol. II, La Différence, 1998.

CENDRARS (Blaise), préface à *Ferragus*, in *L'Œuvre de Balzac*, vol. II, Le Club français du Livre, 1953.

GAUTIER (Théophile), *Balzac*, Paris, 1859.

HOFMANNSTHAL (Hugo von), « L'Univers de *La Comédie humaine* », in *L'Œuvre de Balzac*, vol. VII, Le Club français du Livre, 1963.

MASSOL-BÉDOIN (Chantal), « L'Énigme de Ferragus : du roman noir au roman réaliste » in *L'Année balzacienne*, 1967.

MEININGER (Anne-Marie), « *Catalina*, Les conjurations orléanistes et Jacquet », in *L'Année balzacienne*, 1980.

PICHOIS (Claude), « Deux hypothèses sur *Ferragus* », R.H.L.F.,
octobre-décembre, 1956.

PRIOULT (A.), « Balzac et le Père-Lachaise », in *L'Année balzacienne*, 1967.

SAVANT (Jean), « Balzac et Vidocq », in *L'Œuvre de Balzac*,
vol. XIII, Le Club français du Livre, 1964.

STEINMETZ (Jean-Luc), « Balzac et Pétrus Borel », in *L'Année
balzacienne*, 1982.

et le roman » traduit par Catherine Bernard.
Traduction de l'anglais et édition de Michèle Rivoire.

6425 CHARLES DICKENS : *Bleak House*. Traduction
de l'anglais et édition de Sylvère Monod. Préface
d'Aurélien Bellanger.

6439 MARCEL PROUST : *Un amour de Swann*. Édition
de Jean-Yves Tadié.

6440 STEFAN ZWEIG : *Lettre d'une inconnue*.
Traduction de l'allemand de Mathilde Lefebvre.
Édition de Jean-Pierre Lefebvre.

6472 JAROSLAV HAŠEK : *Les Aventures du brave soldat
Švejk pendant la Grande Guerre*. Traduction du
tchèque de Benoit Meunier. Édition de Jean Boutan.

6510 VIRGINIA WOOLF : *Orlando*. Traduction de l'anglais
et édition de Jacques Aubert.

6556 DENIS DIDEROT : *Histoire de Mme de La
Pommeraye* précédé de *Sur les femmes*. Édition
d'Yvon Belaval.

6533 ANTHONY TROLLOPE : *Le Directeur*. Traduction
de l'anglais de Richard Crevier, révisée par Isabelle
Gadoin. Édition d'Isabelle Gadoin.

6547 RENÉ DESCARTES : *Correspondance avec
Élisabeth de Bohême et Christine de Suède*.
Édition de Jean-Robert Armogathe.

6584 MIKHAÏL BOULGAKOV : *Le Maître et Marguerite*.
Traduction du russe et édition de Françoise
Flamant.

6585 GEORGES BERNANOS : *Sous le soleil de Satan*.
Édition de Pierre Gille. Préface de Michel Crépu.

6586 STEFAN ZWEIG : *Nouvelle du jeu d'échecs*.
Traduction de l'allemand de Bernard Lortholary.
Édition de Jean-Pierre Lefebvre.

6587 FÉDOR DOSTOÏEVSKI : *Le Joueur*. Traduction
du russe de Sylvie Luneau. Préface de Dominique
Fernandez.

6588 ALEXANDRE POUCHKINE : *La Dame de Pique*.

Composition Interligne
Impression Novoprint
à Barcelone, le 22 octobre 2020
Dépôt légal : octobre 2020
1er dépôt légal dans la même collection : septembre 2001

ISBN 978-2-07-041664-8./Imprimé en Espagne.